LA MYSTIQUE CHRÉTIENNE
ET L'AVENIR DE L'HOMME

DU MÊME AUTEUR

AUX MÊMES ÉDITIONS

Introduction à la pensée de Teilhard de Chardin, *1956*

Saint Paul et le Mystère du Christ
coll. " Maîtres spirituels ", 1956

La Doctrine morale des prophètes d'Israël, *1958*

La Métaphysique du christianisme et la Naissance
de la philosophie chrétienne, *1961*
Prix Emmanuel Mounier, 1962

Édition de la Correspondance philosophique
Maurice Blondel — Lucien Laberthonnière, *1961*

Les Idées maîtresses de la métaphysique chrétienne, *1962*
Grand Prix catholique de littérature, 1962

Introduction à la métaphysique
de Maurice Blondel, *1963*

La Métaphysique du christianisme
et la Crise du XIIIe siècle, *1964*

Comment se pose aujourd'hui
le problème de l'existence de Dieu, *1966*
et *coll. " Livre de Vie ", n° 108, 1971*

Le Problème de la Révélation, *1969*

L'Enseignement de Ieschoua de Nazareth, *1970*

Le Problème de l'âme, *1971*

Les Problèmes de l'athéisme, *1972, couronné par l'Institut*
Prix Maximilien Kolb, 1973

Introduction à la théologie chrétienne, *1974*
couronné par l'Académie française

Sciences de l'Univers et
Problèmes métaphysiques, *1976*

CHEZ D'AUTRES ÉDITEURS

Essai sur la pensée hébraïque
Éditions du Cerf, 1953

Études de métaphysique biblique
Éditions Gabalda, 1955

Essai sur la connaissance de Dieu
Éditions du Cerf, 1959

CLAUDE TRESMONTANT

LA MYSTIQUE
CHRÉTIENNE ET
L'AVENIR
DE L'HOMME

ÉDITIONS DU SEUIL
27, rue Jacob, Paris VIᵉ

ISBN 2-02-004610-5

© ÉDITIONS DU SEUIL, 1977

DE QUELQUES MALENTENDUS

Le terme de « mystique » est l'un des plus confus qui soient dans la langue française d'aujourd'hui. Il peut signifier à peu près n'importe quoi, pourvu que ce soit de l'irrationnel, de l'obscur, du prélogique, de l'affectif, et qu'il y ait de plus, si possible, quelques manifestations psychosomatiques bizarres, quelques traces de névrose ou de psychose.

Et tout d'abord, le terme de « mystique » n'est pas univoque. Il n'a pas une seule signification. Il existe, non pas *une* mystique ni *la* mystique, mais une multiplicité de mystiques diverses, autant que de visions du monde, de philosophies, de métaphysiques. La grande tradition métaphysique de l'Inde a sa mystique propre et ses mystiques, son expérience de l'Un et du retour à l'Un. Les religions helléniques anciennes avaient aussi leurs mystères et leurs mystiques. La philosophie néoplatonicienne comporte des aspects mystiques, par exemple chez Plotin et chez Proclus. Plotin a connu, nous dit son biographe, des expériences mystiques. Il existe une mystique appariée à la grande tradition moniste qui remonte précisément à la théosophie brahmanique, qui se continue à travers la métaphysique de Plotin puis celle de Spinoza. L'amour intellectuel de Dieu, chez Spinoza, a des caractères mystiques. Il existe aussi une mystique athée, une expérience mystique du néant et de l'universelle illusion, une mystique de la matière, un culte mystique des éléments, des forces naturelles, des astres, de la fécondité, de la mort. Il existe une mystique du Chef divinisé, un culte du Pharaon, du Roi de Babylone, d'Alexandre le Grand, les empereurs romains divinisés, de l'Empereur des Français, du *Führer* des Allemands. Il existe une religion et une mystique de l'État, de l'Armée, de la Patrie divinisée, du Parti, de la Guerre, de la Révolution, de la Lutte des classes, du Sang et de la Race. Autant de mystiques que de cultes, que de religions...

On trouve, dans la *Dialectique de la nature* d'Engels, des pages mystiques consacrées à la Matière incréée, éternelle, impérissable et créatrice. Nietzsche nous dit qu'il a eu la vision de l'Éternel Retour dans une extase mystique. Et les congrès national-socialistes de Nuremberg présentaient des caractères mystiques...

Autant de mystiques que de religions... Car le terme de « religion » non plus n'est pas univoque. Il n'est pas possible de parler de *la* religion, comme s'il n'en existait qu'une seule, et lorsqu'on lit une histoire des religions, on se demande quel est le plus petit commun dénominateur de ces diverses « religions », et ce qui permet de subsumer sous le même et unique concept de « religion » tant de doctrines si diverses et si contradictoires. On dira : il y a au moins la notion d'une divinité, qui est commune à toutes les religions. Eh bien non! Il existe en Inde, en Chine, au Japon, des religions athées.

La théologie hébraïque s'est constituée et développée expressément et consciemment à l'encontre des « religions » avoisinantes : celles de l'Égypte, de Sumer, de Babylone, de Canaan, à l'encontre des cultes solaires, astraux, des cultes naturistes, des cultes des rois divinisés, à l'encontre des pratiques rituelles des religions d'alentour. La théologie hébraïque a dédivinisé, désacralisé le monde, la nature, les astres, les forces naturelles, les rois et les États. Elle a désacralisé tout ce qui est donné dans notre expérience sensible. C'est donc, à cet égard, une pensée éminemment rationaliste qui est apparue ici dans l'humanité.

Les termes de « religion », de « mystique », de « sacré » peuvent recouvrir le meilleur et le pire, sainte Thérèse d'Avila et la pratique des sacrifices humains, saint François d'Assise et les liturgies national-socialistes.

On dira : bon, si vous voulez, mais il reste que les religions, les mystiques, et tout ce qui s'ensuit, c'est toujours de l'irrationnel ou de l'infrarationnel, de l'affectif, de l'inconscient, du trouble et de l'obscur. En tout cas, ce n'est pas de la science, ce n'est pas de la rationalité, ce n'est pas de la pensée claire et distincte.

— Nous n'avons pas à nous prononcer ici sur les diverses « religions » et « mystiques » qui recouvrent la planète depuis que l'humanité existe, sans doute. Nous voudrions simplement dissiper quelques malentendus concernant la mystique chrétienne, ou ce qu'en langage chrétien on appelle « mystique ».

Premier contresens majeur à éviter, si l'on veut tenter de comprendre quelque chose à la mystique chrétienne, à ce que, dans le système de référence chrétien, on entend par « mystique » : *la mystique chrétienne, ce n'est pas de l'irrationnel.* Non seulement ce n'est pas de l'irrationnel, mais c'est de la pensée qui tend à ouvrir à l'intelligence humaine un champ, un domaine dans lequel elle est invitée à pénétrer. C'est, au sens propre du terme, une science, c'est même la science la plus élevée à laquelle l'intelligence humaine puisse atteindre. Car le terme de science non plus n'est pas univoque. Il n'a pas une seule signification. La physique expérimentale n'est pas une science de la même manière et dans le même sens que les mathématiques, et la biologie n'est pas une science de la même manière que la physique mathématique. Les sciences historiques comme la zoologie, la paléontologie, ne sont pas des sciences de la même manière que la logique ou les mathématiques. L'histoire est bien une science, une connaissance rationnelle fondée dans une expérience, mais elle porte sur ce qui ne se répète pas, sur l'irréversible. Elle n'est pas science de la même manière que les sciences qui portent sur ce qui se répète. La métaphysique est une science, mais elle ne l'est pas de la même manière que les mathématiques, car elle n'est pas hypothético-déductive. Elle a, elle doit avoir une base expérimentale, et elle doit procéder d'une manière inductive, *a posteriori*. Elle n'est pas une science comme la physique ou la biologie, car elle pose et traite des questions que la physique et la biologie, en tant que telles, ne posent pas. Elle est une science, une connaissance rationnelle et certaine, à sa manière, dans son domaine, dans son ordre. La théologie aussi est une science, bien fondée, nous avons expliqué comment dans un ouvrage antérieur [1].

Enfin, la théologie mystique aussi est une science. C'est une connaissance, par l'intelligence, fondée dans une expérience, de quelque chose qui est. Ce n'est pas de l'irrationnel, et ce n'est pas du prélogique. — Premier malentendu.

Deuxième malentendu, deuxième contresens à écarter si l'on veut comprendre quelque chose à la mystique chrétienne : *la mystique chrétienne, ce n'est pas de l'affectif,* cela n'a même, en soi, rien à voir avec l'affectivité, ni même, plus généralement, avec la psychologie, avec l'ordre psycho-somatique, avec le système nerveux ni avec le système hormonal ni avec aucun système glandulaire.

La mystique chrétienne authentique ne relève pas de l'affectivité, ni de la psychologie, mais d'un ordre qui est appelé par les mystiques chrétiens « spirituel », en un sens technique, que nous aurons à définir et qui est distinct de l'ordre psychologique.

Toute l'œuvre de saint Jean de la Croix, le patron en ce domaine, consiste, nous le verrons, à écarter, à dégager tout ce qui relève de l'affectivité, de la psychologie, du sentiment, à libérer la vie spirituelle de l'affectivité.

Troisième contresens, troisième malentendu : la mystique chrétienne n'est pas une spécialité réservée à quelques excentriques de la vie monacale. Non, selon la pensée de toute la tradition mystique orthodoxe, la vie mystique, l'expérience mystique, la transformation mystique, concerne l'humanité entière. C'est même sa destination ultime, son unique destinée, son unique avenir. Selon la théologie chrétienne, l'humanité n'a pas d'autre avenir que la vie mystique. C'est cela ou rien. La vie mystique est l'achèvement normal, le seul achèvement, de l'Homme apparu il y a quelque

---

1. *Introduction à la théologie chrétienne,* Paris, Éd. du Seuil, 1974.

cinquante mille ans, si l'on compte à partir de l'*Homo sapiens*.

Quatrième contresens majeur lié aux précédents : la vie mystique ce n'est pas de l'irréel, ce n'est pas du fantastique, ce n'est pas de l'imaginaire. Non, c'est de l'être. La mystique, c'est la connaissance de l'être la plus profonde à laquelle nous puissions atteindre. A ce titre, le mystique chrétien est un maître en métaphysique, comme nous allons le voir. La mystique chrétienne, c'est de l'ontologie, c'est même, nous le verrons, de l'ontogenèse, plus précisément la science de l'anthropogenèse.

L'objet de la mystique chrétienne, ce n'est pas du mou, ni du flou, ni du vague. C'est du dur, c'est de l'être, et de l'être en formation, plus précisément en transformation.

Certes, les mystiques chrétiens n'ont rien à nous apprendre en astrophysique ni en physique, ni en chimie ni en biochimie, ni en biologie, ni en zoologie ni en paléontologie. Mais ils ont quelque chose à nous apprendre en ce qui concerne l'homme, c'est-à-dire sur la question de savoir *ce qu'est l'homme,* tout ce qu'il contient en lui, sans le savoir le plus souvent, et quel est son avenir. La spécialité des mystiques chrétiens, c'est l'anthropologie et l'anthropogenèse. A cet égard, ils sont tout à fait irremplaçables, et ce ne sont certes pas les psychologues ni les anthropologues aujourd'hui enseignants qui pourraient les remplacer en leur ordre. Car ils atteignent quelque chose qu'apparemment les psychologues et les anthropologues régnants ne semblent pas avoir aperçu, — sauf bien entendu s'ils se sont nourris eux-mêmes des maîtres de la mystique chrétienne.

La définition de la science, en son sens le plus général, qu'est-ce que c'est ? C'est une connaissance, par l'intelligence, de ce qui est. A ce titre, la mystique chrétienne est science d'une manière éminente, car elle atteint, par l'intelligence, ce qui est d'une manière éminente et première. Et il faut ajouter ceci : elle est science aussi de ce qui est en train de se faire, et des conditions de réalisation de ce qui est en train de se faire. Elle est la science de l'avenir de l'homme.

La théologie mystique est la connaissance de la cause de la création, de son principe, de sa raison d'être, de son sens, de sa finalité ultime, elle est la connaissance de l'*alpha* et de l'*oméga* de la création.

Le mot français « mystique » est un simple décalque du grec *mustikos,* lequel signifie : qui concerne les « mystères ». *Ta mustika* signifie : les cérémonies des « mystères ». *Mustès* signifie : initié aux « mystères ». L'adverbe *mustikos* signifie : secrètement. Le *mustèrion,* c'est la cérémonie secrète.

Cette famille de mots se rattache au verbe grec *muô* qui signifie : se fermer, être fermé, clos, se tenir les yeux fermés ou la bouche close, fermer les yeux ou la bouche.

Nous n'avons pas à aborder ici l'étude de la signification du mot « mystère » dans la langue des religions helléniques. Cela a été fait par d'autres [1]. Nous nous proposons ici d'étudier le contenu et la signification de la « mystique » dans la théologie chrétienne.

Il faut donc savoir que dans la langue de la traduction grecque de la bible hébraïque et araméenne, le mot grec *mustèrion* traduit l'araméen *raz,* forme emphatique *raza,* qui signifie le secret (Cf. Dan 2, 18 et s.; 27, 29, 47; 4, 6).

Dans la langue des livres de la « Nouvelle Alliance » (que l'on appelle communément « Nouveau Testament »), le mot grec *mustèrion,* qui traduit vraisemblablement l'araméen *raz* et *raza,* signifie : le contenu intelligible, l'objet même de la science nouvelle qui est communiquée, le pain qui est offert à l'intelligence.

Ainsi (Mt. 13, 11; Mc 4, 11) les « *mystèria* du royaume de Dieu » *(en araméen : razaï malkouta di-schemaiia),* c'est la science même de cette nouvelle humanité qui est en formation et qui va prendre part à la vie de Dieu, la science de son développement, des conditions de son expansion, de sa croissance, de son être même. C'est l'ontologie et l'ontogenèse du royaume de Dieu, c'est-à-dire de l'humanité rendue participante de la vie personnelle de Dieu.

Dans la langue des lettres de Paul, le mot grec *mustèrion* est employé dans le même sens : ce qui est l'objet de la

---

1. Par exemple : MARTIN P. NILSSON, *Geschichte der griechischen Religion,* Münich, 1955. ÉDOUARD DES PLACES, *La Religion grecque,* Paris, 1969.

science nouvelle qui est communiquée, ce qui est proposé à l'intelligence.

Nous avons traduit et commenté les textes principaux de Paul à cet égard dans un ouvrage antérieur[1]. Nous n'avons donc pas à y revenir ici.

Par contre, il nous faut traduire et expliquer un texte de Paul qui se trouve dans une lettre adressée vers 57 aux chrétiens de Corinthe. Ce texte donnera au lecteur une première idée de ce qu'est la mystique chrétienne.

« Et moi, lorsque je suis venu chez vous, frères, je suis venu mais ce n'est pas avec une supériorité dans la parole ou dans la sagesse que je vous ai annoncé le secret *(to mustèrion)* de Dieu.

« Car je ne jugeais pas opportun de savoir quoi que ce soit, parmi vous, si ce n'est Ieschoua le christ[2], et celui-ci crucifié.

« Et moi, c'est dans la faiblesse, et dans la crainte et dans un grand tremblement que je me suis présenté à vous, et ma parole et mon annonce ne consistaient pas en paroles persuasives de sagesse, mais dans une démonstration d'esprit et de puissance.

« Afin que votre foi ne soit pas fondée dans une sagesse d'hommes, mais dans une puissance de Dieu.

« Et pourtant, c'est bien une sagesse que nous enseignons parmi les parfaits, sagesse qui n'est pas celle du temps présent[3] ni des princes qui nous gouvernent dans le temps présent : leur nullité est manifeste.

« Mais nous enseignons une sagesse de Dieu, dans le secret *(en mustèrio)*. Elle était cachée. Dieu l'a préparée, avant les durées du monde, pour notre gloire.

« Aucun des princes du temps présent ne l'a connue. Car s'ils l'avaient connue, ils n'auraient pas crucifié le seigneur de la gloire. Mais, comme il est écrit (Is 64, 4 ; 52, 15) :

1. *Introduction à la théologie chrétienne,* Paris, 1974, p. 528 et s.
2. Pour la signification de ce terme, cf. *Introduction à la théologie chrétienne,* p. 110 et s.
3. Le grec, *aiôn* recouvre l'hébreu *olam* qui signifie à la fois la « durée », le « temps », et le « monde ».

L'œil n'a pas vu, l'oreille n'a pas entendu, et cela n'est pas monté à l'intelligence de l'homme, ce que Dieu a préparé pour ceux qui l'aiment.

« A nous, Dieu l'a découvert, par l'esprit. Car l'esprit sonde tout, et même les profondeurs de Dieu. Car qui, parmi les hommes, connaît les secrets d'un homme, si ce n'est l'esprit de l'homme, l'esprit qui est en lui ? De même, les secrets de Dieu, personne ne les a connus, si ce n'est l'esprit de Dieu.

« Nous, nous n'avons pas reçu l'esprit du monde, mais l'esprit qui sort de Dieu, afin que nous connaissions ce que Dieu nous a préparé dans sa libéralité.

« C'est cela que nous enseignons, non pas dans des paroles apprises d'une sagesse humaine, mais dans des paroles apprises de l'esprit, communiquant aux spirituels les réalités spirituelles.

« L'homme qui est simplement psychisme *(psuchikos anthropôs)* ne reçoit pas ce qui provient de l'esprit de Dieu. Car c'est stupidité pour lui. Et d'ailleurs il ne peut pas le connaître, car de fait c'est spirituellement qu'on en juge. » (1 Co 2.)

Dans ce texte, Paul rappelle aux chrétiens de Corinthe qu'il est venu leur enseigner une sagesse, *sophian,* au sens riche et plein du terme, qui recouvre l'hébreu *hochema,* la sagesse même de Dieu, qui était le secret de Dieu, et que Dieu nous découvre maintenant : son dessein sur l'homme.

Les princes qui nous gouvernent, aujourd'hui comme hier, en philosophie comme en politique, semblent n'y rien comprendre.

Cette science qui nous est communiquée, elle ne vient pas des hommes. Elle nous est communiquée par l'esprit de Dieu. Car Dieu est esprit, et il peut se communiquer à l'esprit de l'homme. C'est même la définition de l'homme, pour le théologien, c'est-à-dire pour le savant qui considère ce qu'est l'homme en réalité : un animal capable de recevoir communication de l'esprit de Dieu.

Personne, dit Paul, ne connaît les secrets d'un homme, si ce n'est l'esprit de cet homme. Eh bien, il en va de même pour Dieu. Personne ne connaît le secret dessein de Dieu sur nous, si ce n'est l'esprit de Dieu, et celui à qui Dieu se communique, par son esprit. Ainsi nous, les disciples, nous n'avons pas reçu l'esprit du monde présent (esprit de massacre, de domination, de lucre), mais l'esprit qui vient de Dieu, afin d'accéder à la connaissance de ce que Dieu nous prépare dans sa grâce.

C'est cela que nous enseignons, dit Paul : la science du dessein de Dieu. Et cette science, nous l'avons reçue de l'esprit de Dieu, de Dieu qui est esprit.

Pour comprendre la suite du texte de Paul, il faut rappeler en quelques mots ce qu'est l'anthropologie à laquelle Paul se réfère.

Le premier homme, la première humanité, écrit Paul dans la même lettre aux chrétiens de Corinthe (chap. xv), a d'abord été créé animal. L'homme est d'abord une réalité psycho-somatique, ou psycho-physiologique. C'est ce que Paul appelle ici le *psuchikos anthrôpos,* l'homme qui est un psychisme, une unité psycho-somatique.

Mais cela, ce n'est que le début. L'homme est appelé, invité, à une destinée ultérieure. Et pour être capable de cette destinée ultérieure, l'homme reçoit en lui l'esprit : l'esprit de Dieu vient travailler en lui, qu'il le sache ou non, et c'est parce que l'esprit de Dieu vient travailler en lui, qu'il le sache ou non, que l'homme devient lui-même esprit, *pneuma.* L'esprit, en l'homme, ce n'est donc pas le psychisme, c'est *ce par quoi l'homme est capable d'entendre et de comprendre ce que dit l'esprit de Dieu à l'homme, c'est ce par quoi l'homme est capable d'entrer en communication avec l'esprit de Dieu.*

C'est-à-dire que l'esprit, en l'homme, n'est plus du seul domaine de la *nature.* C'est déjà un pas en direction de l'ordre surnaturel, c'est-à-dire de Dieu. L'esprit, en l'homme, c'est ce par quoi l'homme est capable d'entrer en dialogue avec Dieu, qui est Esprit.

En sorte que l'homme qui s'en tient à l'ordre psycho-biologique, ou psycho-somatique, le *psuchikos anthrôpos,* ne comprend rien à cet ordre spirituel, qui n'est intelligible que par l'esprit de Dieu en nous, lequel nous donne l'intelligence.

L'ordre de la mystique chrétienne, c'est l'ordre spirituel. Le psychologue, en tant que tel, le psychiatre, en tant que tel, et le psychanalyste, en tant que tel, ne sont pas compétents pour juger de l'ordre proprement mystique, parce que cet ordre, c'est la communication par Dieu, qui est esprit, à l'homme capable de le recevoir, d'une science qui porte sur l'avenir de l'homme, sur les transformations radicales que l'homme doit subir et consentir pour accéder à la fin ultime à laquelle Dieu le destine.

L'anthropologie chrétienne— c'est l'une de ses caractéristiques, — distingue donc soigneusement l'ordre du psychologique, qui est l'ordre psycho-somatique, et l'ordre spirituel, au sens que nous venons de dire.

Toute la question est de savoir s'il est vrai que cet ordre existe, ébauché, dans l'homme, et si l'homme est en effet, comme le prétend la doctrine chrétienne, un animal en train de passer de l'ordre psycho-somatique à l'ordre spirituel.

Notons bien que ce n'est pas le psychologue, en tant que tel, qui est compétent pour décider s'il est vrai, ou non, que l'homme est un animal en train de passer de l'ordre qu'il étudie, l'ordre psycho-somatique, à un ordre ultérieur, que la théologie appelle spirituel. Car pour apercevoir l'existence de cet ordre que la théologie chrétienne, à la suite de saint Paul, appelle spirituel, il faut justement transcender l'ordre du psychologique.

De même, ce n'est pas le physicien en tant que tel qui est compétent pour décider de la question de savoir si l'ordre biologique est ontologiquement nouveau ou non, par rapport à l'ordre qu'il étudie, lui physicien.

Pour apercevoir l'existence d'un ordre nouveau, il faut y être passé. Il faut en avoir une certaine expérience. Pour apercevoir la distinction entre deux ordres, par exemple l'ordre de la biologie et celui de la physique, ou celui de la psychologie et de la biologie, ou celui que Paul appelle spirituel par rapport à l'ordre qu'étudie le psychologue, il faut avoir une certaine connaissance des deux ordres envisagés.

Le psychologue en tant que tel, ou tout seul, n'est donc

pas compétent pour décider si cet ordre que Paul appelle le spirituel existe ou non dans l'homme. Le psychologue peut tout juste apercevoir que ses analyses ne « bouclent » pas, par en haut, que quelque chose lui échappe dans le dynamisme de la personne humaine, autrement dit que sa science ne constitue pas une anthropologie exhaustive.

Pour permettre au psychologue de comprendre par quelques exemples de quoi il s'agit, signalons-lui ici en passant que, pour la théologie chrétienne, pour toute la tradition mystique chrétienne, la foi, l'espérance, la charité, ne sont pas du psychologique, n'appartiennent pas à l'ordre psychologique, mais à l'ordre spirituel, ce qui signifie ceci : la foi, c'est l'intelligence communiquée par l'Esprit de Dieu ; la charité, c'est l'amour créateur communiqué par Dieu qui est Esprit ; l'espérance, c'est une attente qui, contre toute espérance humaine, contre toute probabilité humaine, s'en remet à Dieu le créateur pour la victoire finale. Cela ne dépend pas du tempérament, de la complexion physiologique, de l'état nerveux, de la psychologie. On peut être optimiste et même optimiste béat, comme on dit, on peut être d'un *naturel* optimiste, et ne pas avoir un grain d'espérance au sens théologique du terme. On peut être profondément « neurasthénique », comme disaient nos grands-mères (depuis, on a trouvé des termes plus modernes), et conserver cependant l'espérance surnaturelle. On peut être d'un naturel « bonasse », et ne pas avoir la charité surnaturelle. On peut être dur par nature, comme Thérèse le dit d'elle-même, et être informé par l'amour créateur de Dieu.

Encore une fois, tout ce qui est spirituel est d'un autre ordre que le psychologique et n'est pas réductible à lui.

La question de savoir si le spirituel, au sens technique et précis que ce terme revêt chez Paul et dans toute la tradition mystique chrétienne, existe ou non dans l'homme, relève d'une discipline qui n'est pas encore constituée en tant que science, et qui serait l'anthropologie intégrale.

Bien entendu, s'il n'y a pas d'ordre spirituel au sens où l'entendent les mystiques chrétiens, s'il n'y a pas de surnaturel, si l'homme n'a pas de destinée surnaturelle, si l'athéisme est vrai — alors ce qu'on appelle aujourd'hui les « sciences humaines », — la psychologie, l'ethnologie, la sociologie, etc. — suffisent à constituer l'anthropologie. Mais si par hasard ou de fait les mystiques chrétiens avaient raison, c'est-à-dire si de fait l'homme est un animal qui comporte une dimension et une ouverture qui dépassent la compétence du psychologue et du sociologue, alors l'anthropologie qu'on nous présente aujourd'hui est gravement mutilée, incomplète, tronquée par en haut. Il manque quelque chose à l'homme tel qu'on nous le décrit par lesdites « sciences humaines ».

Dans bien d'autres textes pris dans les lettres de Paul, on peut vérifier ce qu'entend Paul par le terme de : *mystère*. Il s'agit toujours d'une science, qui était secrète, cachée en Dieu, et qui est maintenant communiquée à l'homme, afin d'être connue. Le « mystère », dans le langage de Paul et de toute la mystique chrétienne orthodoxe, ce n'est donc pas quelque chose de clos, de fermé à l'intelligence de l'homme. C'est au contraire le pain de l'intelligence, sa nourriture propre, ce par quoi l'intelligence humaine va se réaliser, devenir adulte, majeure, pleinement développée.

Par exemple dans une lettre aux chrétiens d'Éphèse (Éph 1, 9), Paul écrit : « Il (= Dieu) nous a fait connaître le secret dessein *(to mustèrion)* de sa volonté... »

Plus loin, dans la même lettre, Paul écrit : « Savez-vous quelle a été la manière de faire *(tèn oikonomian)* de la grâce de Dieu qui m'a été accordée pour vous ? C'est par une révélation *(apokalupsis)* que m'a été donné à connaître la science secrète que je vous communique *(to mustèrion)*, comme je vous l'ai déjà écrit il y a peu. En lisant mes lettres, vous pouvez parvenir à comprendre l'intelligence que j'ai dans le *mystère* du christ. Dans les générations précédentes, ce *mystère* n'a pas été donné à connaître aux enfants des hommes. Maintenant il est dévoilé aux saints envoyés *(apostolois)* et aux prophètes, dans l'esprit. En quoi consiste-t-il, ce *mustèrion ?* C'est que les nations païennes sont appelées à devenir co-héritières (avec Israël), à constituer un seul corps, à devenir participantes de la promesse, dans le christ Ieschoua... A moi, le plus petit parmi tous les saints, a été donnée cette grâce : annoncer aux nations païennes l'heureuse nouvelle, la richesse, dont nous ne pouvons pas épuiser le contenu, du christ, et illuminer tous ceux qui m'écoutent en leur faisant connaître quelle est la disposition, l'agencement, l'organisation *(oikonomia)* du mystère qui était caché depuis les durées cosmiques en Dieu qui a tout créé, afin que soit maintenant portée à la connaissance (...) la multiple et complexe sagesse de Dieu... »

Dans une lettre aux chrétiens de Colosses, Paul fait allusion de nouveau au « *mustèrion* » qui « était caché depuis les origines, mais qui est maintenant manifesté aux saints, ceux à qui Dieu a voulu faire connaître en quoi consiste la richesse de la gloire de ce *mystère* parmi les nations : le christ parmi vous, l'espérance de la gloire... » (Col 1, 26).

Un peu plus loin, Paul écrit : « ... que vos intelligences (le grec *kardia* traduit l'hébreu *leb* qui est, dans la bible hébraïque, l'organe de l'intelligence) soient réconfortées dans la connaissance du *mystère* de Dieu, le christ, en qui sont tous les trésors de la sagesse et de la connaissance, cachés... » (Col 2, 2.)

C'est bien ainsi que l'ont compris les plus grands docteurs chrétiens, par exemple saint Jean de la Croix [1]. Il écrit par exemple dans *la Nuit obscure :* « L'âme appelle cette contemplation ténébreuse *secrète,* parce que c'est (...) la théologie mystique, que les théologiens appellent sagesse secrète, laquelle, selon saint Thomas, se communique et est infuse en l'âme par amour [2]... »

Dans *le Cantique spirituel,* saint Jean de la Croix commente un vers d'un poème qu'il a composé lui-même :

Il m'apprit une science savoureuse...

---

1. Né à Fontiveros, dans la province d'Avila, en 1542. Pour une biographie de saint Jean de la Croix, lire P. BRUNO (de) J.-M., *Saint Jean de la Croix,* Paris, 1961. Nous citons saint Jean de la Croix d'après la traduction française du P. Cyprien de la Nativité de la Vierge, rééditée par le P. Lucien-Marie de saint Joseph, Paris, 1959. Lorsque nous citons un terme espagnol du texte original, nous le faisons d'après l'édition suivante : *Vida y Obras de San Juan de la Cruz,* Biblioteca de Autores Cristianos, Madrid, 1971.

2. *La Nuit obscure,* II, XVII, 2, trad. cit., p. 608.

Saint Jean de la Croix explique : « La science savoureuse qu'elle dit ici qu'il (= Dieu) lui enseigna est la théologie mystique, qui est une secrète science de Dieu que les spirituels nomment contemplation... Et vu que Dieu lui communique cette science et cette intelligence dans l'amour avec lequel il se communique à l'âme, elle lui est savoureuse pour l'entendement, puisque c'est une science qui lui appartient, et elle est savoureuse à la volonté, puisqu'elle est en amour, lequel appartient à la volonté[1]... »

Rappelons ici, avant de poursuivre, que pour le christianisme orthodoxe, l'existence de Dieu, personnel et créateur, n'est pas une question de croyance ni de « foi » au sens contemporain du terme. Ce n'est pas une question d' « option » ni de préférence ni de sentiment. C'est une question qui relève de l'analyse. L'existence de Dieu est connue par l'intelligence humaine si celle-ci réfléchit à l'Univers, à son existence, à son évolution, à la nature et à tout ce qu'elle contient, à l'homme bien entendu aussi. L'existence de Dieu est connue à partir du monde ou de la création comme l'existence de Jean-Sébastien Bach ou de Mozart est connue à partir de leurs œuvres. Non seulement l'existence, mais aussi, pour une part, ce qu'ils sont, leur nature.

Dieu, d'autre part, a continué d'opérer dans l'Univers et dans la nature en se constituant, dans l'humanité, un peuple nouveau, c'est-à-dire en continuant de créer dans l'humanité quelque chose de nouveau : une humanité nouvelle. La création du peuple hébreu, ce n'est pas l'élection arbitraire d'un peuple préexistant parmi d'autres peuples préexistants. C'est la création d'une humanité nouvelle qui commence. C'est le germe, ou l'embryon d'une humanité nouvelle. Comme tout germe, comme tout embryon, celui-ci est constitué par une information, c'est-à-dire par un message, une norme, un plan, la communication d'un dessein.

Dieu est connaissable pour l'intelligence humaine non seulement par l'Univers, la nature, toute cette œuvre, toute

---

1. *Le Cantique spirituel,* strophe XIX, vers 5, trad. cit., p. 818. Édition espagnole citée, *Cancion* 27, 5, p. 777.

cette composition qui se continue depuis des milliards d'années, mais aussi par ce travail du Créateur dans l'humanité, dans l'histoire humaine, qui a pris la forme du peuple hébreu, par le prophétisme hébreu, par la pénétration de plus en plus profonde de la pensée de Dieu dans l'humanité créée.

Tout cela, bien entendu, relève de l'analyse, et de l'analyse fondée dans la réalité expérimentale, c'est-à-dire de l'analyse philosophique. Rien de tout cela, bien évidemment ne doit être admis aveuglément par un « acte de foi » comme on disait jadis et naguère. Si nous pensons que quelque chose est vrai, nous devons savoir pourquoi nous le pensons. Faute de quoi notre assentiment n'est pas raisonnable, et s'il n'est pas raisonnable, il n'est pas humain.

Les mystiques chrétiens orthodoxes connaissent et acceptent tout cela : le fait de la création, le fait de la révélation en Israël et Juda, le fait de l'incarnation, le fait de la communication à l'homme de l'Esprit saint, dont ils ont l'expérience, puisque c'est cela précisément l'expérience mystique.

La vie mystique, selon la tradition chrétienne, n'est pas suspendue en l'air. Elle ne repose pas sur des hypothèses, des axiomes, des postulats ou des « actes de foi » successifs. Elle repose sur des faits, empiriques, constatables, vérifiables. Elle est elle-même un fait expérimentable, contrôlable et contrôlé par les mystiques chrétiens eux-mêmes avec force précautions, comme nous le verrons.

Les mystiques chrétiens orthodoxes acceptent et reçoivent le fait de l'Église, c'est-à-dire qu'ils ne sont pas les premiers, ni les seuls, à recevoir communication, science et enseignement, de l'Esprit saint. L'Église, rappelons-le, c'est la part ou la portion de l'humanité qui reçoit, depuis bientôt vingt siècles, l'information créatrice qui vient de Dieu, pour la transformation de l'humanité entière. L'Église, c'est donc le peuple hébreu qui se continue. C'est l'humanité nouvelle en genèse, en régime de transformation et de surnaturalisation. Les mystiques chrétiens savent qu'ils se situent dans ce développement organique et que ce développement organique et vivant comporte, comme tout être vivant, un système d'autorégulation. Un développement organique n'est anarchique que s'il est malade, et gravement malade. Dans la langue de la médecine, cela s'appelle le cancer.

Nous fonderons notre exposé de ce qui nous paraît essentiel et principal dans la mystique chrétienne, ce qui nous semble devoir être mis en relief aujourd'hui, sur trois docteurs mystiques : saint Paul, sainte Thérèse d'Avila, saint Jean de la Croix. On pourrait s'appuyer sur d'autres docteurs. On estimera peut-être que notre base est trop étroite. Mais on conviendra sans doute que nous avons choisi des « patrons » en ce domaine. Ils ont vu quelque chose qui nous paraît souverainement important à notre époque, et que nous allons exposer maintenant.

2

UNE ANTHROPOLOGIE GÉNÉTIQUE

Selon le christianisme, l'homme est un animal, qui est apparu, nous le savons maintenant par les sciences de la nature, au terme actuel de l'évolution cosmique, physique et biologique, il y a un instant, cinquante mille ans à peu près si l'on pense à *l'Homo sapiens*. Et cet animal, qui vient de naître, est appelé, selon le christianisme, à une destinée transcendante, proprement surnaturelle : la participation éternelle à la vie même de Dieu.

C'est même la définition de l'Homme selon le christianisme. On sait que les paléontologistes distinguent plusieurs étapes principales dans le processus d'hominisation, étapes marquées par l'apparition des divers Australopithèques, puis des Archanthropiens (Pithécanthrope, Sinanthrope, Atlanthrope, etc.), puis des Paléoanthropiens (Homme de Néanderthal et autres), enfin les Néanthropiens (Homo sapiens moderne et fossile). Parmi tous les êtres apparus au cours de ce processus d'anthropogenèse, lequel est véritablement un « homme » ? C'est une question de définition, et cette définition comporte forcément une part d'arbitraire si l'on s'en tient aux données empiriques. On pourra définir l'homme comme étant l'être capable de fabriquer des outils, ou de faire du feu. On pourra décider qu'il y a « homme » à partir d'un certain degré de céphalisation. — Pour le théologien, il y a « homme » dès lors qu'un animal apparaît qui est *capax Dei,* capable, par création, par constitution, d'entrer en rapport avec l'Être absolu, et invité à une destinée proprement surnaturelle. Le théologien ne sait pas plus que le paléontologiste quand cet être est apparu. Mais ce qu'il sait, c'est qu'il va appeler « homme » l'être qui est capable de cette destinée surnaturelle. C'est une question de définition, mais cette définition porte sur l'être même de l'homme, et bien entendu cette aptitude à une destinée surnaturelle n'est pas fossilisable, elle ne tombe pas sous les prises de l'analyse empirique. Elle tombe sous les prises d'une autre analyse, qui est philosophique et métaphysique. Nous y reviendrons plus loin.

Cet animal est donc en régime de passage : passage de l'ordre animal à l'ordre constitué par la vie divine elle-même.

C'est donc un animal qui actuellement, et depuis le début, n'est pas, et n'a jamais été à l'état de pure nature. Il est en régime de passage de l'ordre naturel, créé — l'ordre cosmique, physique et biologique — à l'ordre surnaturel, incréé : la participation à la vie divine.

Selon le christianisme, cet animal, qu'est l'homme, est essentiellement inachevé. Il l'est physiquement, biologiquement, psychologiquement, intellectuellement. Mais il l'est d'une manière plus radicale encore parce qu'il est invité, appelé, par création, à une transformation radicale, à une métamorphose.

Chacun connaît les phénomènes et les processus de métamorphoses dans diverses espèces animales, par exemple les têtards, qui sont les larves des jeunes reptiles batraciens, ou les chrysalides, les nymphes des lépidoptères.

Chez le têtard, par exemple, tout l'organisme subit une transformation radicale; l'intestin, l'appareil circulatoire subissent de profonds remaniements liés à la disparition de l'appareil branchial. Perte d'organes : perte de vertèbres, de la queue, des organes latéraux et des branchies.

En réalité, tout le processus de l'ontogenèse, ou embryogenèse, est un processus qui implique des transformations, des métamorphoses. Au bout de quelques semaines, dans le ventre de sa mère, l'enfant d'homme a aussi l'apparence d'un têtard, et quelque chose d'analogue à des branchies.

Selon le christianisme, l'homme est justement un animal qui est actuellement en régime d'embryogenèse continuée, et appelé à des transformations radicales, à une métamorphose; non pas physique, comme dans le cas des larves de batraciens, mais ontologique et spirituelle :

Une larve de jeune reptile batracien, si elle appartenait à « l'Union rationaliste », pourrait, discutant avec une larve bergsonienne, soutenir à peu près le point de vue que voici :

« Moi, je ne crois que ce que je vois. Nous sommes des larves, nous avons telle ou telle structure anatomique, telle et telle physiologie. Ce qui est, c'est ce qui était et ce qui sera. Votre histoire d'une transformation à laquelle nous serions appelés, votre histoire de métamorphose, c'est de la mystique, c'est de l'obscurantisme, c'est de la mentalité prélogique. De mémoire de têtard, d'ailleurs, on n'a jamais vu cette transformation, cette métamorphose dont vous nous parlez. Le rationalisme, c'est de soutenir que nous sommes têtards et que nous resterons têtards. »

Le têtard bergsonien pourrait répondre à peu près en ces termes :

« Faites attention, ami. Ce qui est actuellement donné dans votre expérience, ce n'est pas ce qu'il y a de plus profond en nous. Nous sommes de fait appelés à une transformation, et à une métamorphose, et je ne vous dis pas cela sans de bonnes raisons. Car *nous sommes programmés pour cette transformation et cette métamorphose.* Les processus de transformation et de métamorphose sont prévus, et inscrits, dans notre patrimoine génétique. La transformation radicale à laquelle nous sommes appelés — et c'est notre unique destinée — est inscrite, physiquement, dans notre nature. Ne confondez donc pas rationalisme et fixisme. L'avenir nous réserve des surprises, parce que l'avenir est toujours, dans l'histoire de la nature, plus riche que le passé. L'avenir est essentiellement imprévisible, et vous avez tort de condamner *a priori* cette nouveauté au nom du passé. Je ne sais pas exactement ce que nous allons devenir, et, comme vous, je n'ai jamais vu, dans ma mémoire de têtard, cet être nouveau que nous sommes appelés à devenir. Mais je sais que l'appel à cette transformation est inscrit dans mes gènes et dans mon inconscient biologique. »

Appeler irrationnel tout ce qui est nouveau, c'est une position qui, du point de vue logique, ne peut pas tenir.

Le vice d'un certain rationalisme, ou prétendu rationalisme, c'est de juger de la réalité simplement d'après ce qu'elle est apparemment aujourd'hui, et de ne pas creuser pour discerner ce qu'elle est en train de devenir et qui est déjà programmé en son fond. C'est en somme de méconnaître la dimension génétique du réel, c'est le fixisme.

Selon le christianisme, l'homme actuel est à l'homme qui vient, qui est en train de se former, quelque chose d'*analogue* à ce qu'est la larve par rapport à l'animal qui a subi les transformations auxquelles il est appelé par sa constitution même.

La différence, c'est que, dans l'ordre zoologique, pour ce qui est des métamorphoses qu'observe le naturaliste, ce sont des transformations physiques, anatomiques et physiologiques, psychologiques aussi, sans doute.

Ici, pour ce qui est de l'homme, il s'agit d'une transformation qui le fait passer de l'ordre biologique et psychologique, à un autre ordre, qui est en avant de nous, et que les théologiens appellent « surnaturel », voulant dire par là que l'homme a accès, par le passage à cet ordre, à la vie de Dieu lui-même.

Il n'est pas question de tenter d'*imaginer* ce que peut être cet ordre nouveau auquel nous sommes destinés, pour la raison bien simple que l'imagination procède toujours en recomposant des représentations anciennes. Or ici, pour ce qui est de cet ordre auquel nous sommes appelés, aucune représentation ni ancienne ni actuelle ne vaut.

Il importe de rappeler ici que si nous savons que nous sommes invités, appelés, à une transformation radicale, à une métamorphose, à une destinée proprement surnaturelle et imprévisible en s'appuyant seulement sur le passé, si nous le savons, c'est parce que le Créateur lui-même nous l'a dit, nous a communiqué cette science de notre avenir.

Or le fait de la révélation non plus n'est pas une question de croyance ou de « foi » au sens contemporain du terme. Le fait que Dieu lui-même a communiqué une science à l'humanité dans ce peuple embryonnaire qu'est le peuple hébreu, cela est un fait expérimental que l'intelligence humaine peut aller, si elle le veut, vérifier [1].

Autrement dit, si le christianisme enseigne que nous sommes appelés à une transformation, à une métamorphose, à une destinée proprement surnaturelle, il ne le dit pas « en l'air ». Il le dit parce qu'il a des *raisons* de le penser, et ces raisons, chacun peut, s'il le désire, aller les vérifier.

Mais ce n'est pas tout. Non seulement cette destination, cette finalité surnaturelle, est enseignée par Dieu lui-même, le Créateur, mais de plus elle est inscrite, d'une certaine manière, et par création, dans notre être même. En langage moderne, nous sommes « programmés » par création pour cette destinée surnaturelle c'est-à-dire que si l'on sonde les profondeurs de l'homme, on trouve que l'homme est travaillé, qu'il le sache ou non, qu'il en ait conscience explicitement ou non, par un désir naturel, congénital, indéracinable d'une destinée qui est précisément celle que la théologie enseigne par ailleurs.

Cela, le philosophe et le psychologue peuvent le voir s'ils analysent à fond ce qui se passe dans l'homme. Nous y reviendrons plus loin, lorsque nous aborderons la doctrine de l'inconscient chez les mystiques chrétiens.

L'idée d'une transformation radicale, d'une métamorphose, d'une nouvelle naissance, d'un passage de l'ordre physique, biologique et psychologique, à un autre ordre, ultérieur et supérieur est enseignée par nombre de textes dans les livres de la Nouvelle Alliance (« Nouveau Testament »).

Par exemple, Jn 1, 12 : « Ceux qui le reçurent (lui, le *logos,* qui est la lumière créatrice), — il leur donna le pouvoir de devenir enfants de Dieu, à ceux qui croient en son nom : eux qui ne sont pas nés à partir des sangs ni de la volonté de la chair ni de la volonté de Dieu, mais qui sont nés de Dieu. »

Ce texte signifie que les hommes qui reçoivent l'Enseignement créateur qui vient de Dieu, ou l'Information créatrice qui vient de Dieu, ceux-là naissent de nouveau, ou d'une

---

1. Cf. sur ce point *Le Problème de la Révélation,* Paris, Éd. du Seuil, 1970.

nouvelle manière, non plus comme la première fois à partir d'opérations biologiques et physiologiques, mais cette nouvelle naissance, par laquelle l'homme devient enfant de Dieu, est l'œuvre de Dieu même. C'est donc une nouvelle naissance, une nouvelle création.

Remarquons en passant que dans cette perspective l'homme *devient, peut devenir,* enfant de Dieu. Il *ne l'était* donc *pas* à l'origine. Il ne l'était pas par nature ou par constitution ou par création. Il peut le devenir, s'il reçoit l'Enseignement créateur qui vient de Dieu, le *logos* qui est à la fois vie, lumière, science et pensée.

Nous n'étions pas enfants de Dieu. Nous sommes appelés, invités, à le devenir, par adoption. Nous ne l'étions pas par nature, mais nous sommes invités à le devenir par grâce. Il n'est pas dit que nous étions enfants de Dieu dans le passé, et que nous avons perdu cette condition. Il est écrit dans ce texte que nous sommes invités à devenir, si nous le voulons, dans le présent et dans l'avenir, enfants de Dieu, par une nouvelle naissance.

Différence fondamentale, donc, par rapport à la perspective gnostique selon laquelle nous avons été, à l'origine, dans une condition transcendante d'où nous serions déchus, tombés. Opposition radicale entre les deux points de vue. Nous aurons souvent l'occasion d'y revenir. Dans la perspective gnostique il y a chute et puis retour à la condition originelle. Dans la vision chrétienne de l'histoire de la création il y a une première création puis une nouvelle naissance, mais non pas retour à l'origine.

Un autre texte, du même livre attribué à un certain Jean, met en scène le rabbi galiléen Ieschoua dans une discussion avec un théologien juif appartenant au parti de la stricte observance et, en un sens, à la théologie d'avant-garde, puisque la théologie des Pharisiens admettait un « développement » de la révélation que le parti des Sadducéens refusait.

Voici ce dialogue célèbre :

« Il y avait un homme, du parti des Pharisiens. Son nom, c'était Nikodème. C'était une autorité parmi les Juifs. Il vint vers Ieschoua, pendant la nuit, et il lui dit :

« *Rabbi,* nous savons que tu es un maître qui vient de la part de Dieu. Car personne ne peut faire ces signes que tu fais, si Dieu n'est pas avec lui.

« Ieschoua répond et lui dit : " Vraiment, je te le dis : si quelqu'un ne naît pas d'en haut (ou : de nouveau), il ne peut pas voir le royaume de Dieu. "

« Alors Nikodème lui dit : " Comment un homme peut-il naître, s'il est déjà vieux ? Peut-il entrer une deuxième fois dans le ventre de sa mère pour naître de nouveau ? " »

Plus loin, dans ce qui nous reste de cette conversation entre les deux théologiens juifs, Ieschoua ajoute :

« Ce qui est né de la chair est chair, et ce qui est né de l'esprit, est esprit. Ne t'étonne pas parce que je t'ai dit : il vous faut naître d'en haut (ou : de nouveau)... » (Jn 3.)

« Ce qui est né de la chair est chair... » peut se traduire, dans un langage moderne : ce qui appartient à l'ordre physique, biologique, psychologique, ce qui est né dans cet ordre et de cet ordre, ne peut, seul, par ses propres forces, accéder à un ordre différent et transcendant.

Saint Paul, avant l'auteur, quel qu'il soit, du quatrième évangile, a été le théoricien de cette métamorphose, de cette transformation, de cette nouvelle naissance à laquelle l'homme est appelé.

Nous l'avons vu déjà, on trouve dans la première lettre de Paul aux chrétiens de Corinthe un passage dans lequel Paul écrit : « L'homme *psychique (psuchikos anthrôpos)* (c'est-à-dire l'homme qui appartient seulement à l'ordre physique, biologique et psychologique, l'homme qui est seulement animal), ne reçoit pas ce qui relève de l'esprit de Dieu, car pour lui c'est idiotie, et il ne peut pas le connaître, parce que c'est spirituellement qu'on en juge... » (1 Co 2, 14.)

Quelques lignes plus loin, dans la même lettre, Paul ajoute :

« Et moi, frères, je n'ai pas pu vous parler comme à des spirituels *(pneumatikois),* mais comme à des charnels *(sarkikois),* comme à des bébés dans le christ. Je vous ai donné du lait à boire, mais non pas de la nourriture solide, car vous n'étiez pas capables de la supporter. Mais même maintenant vous n'en êtes pas capables, car vous êtes encore charnels.

Car puisqu'il y a parmi vous jalousies et querelles, n'êtes-vous pas charnels et ne marchez-vous pas selon l'homme ? » (1 Co 3, 1.)

Ce que, dans le texte précédent, Paul appelait l'homme *psuchikos,* c'est-à-dire l'homme appartenant à l'ordre psychobiologique ou psycho-physiologique, l'homme animal, — Paul l'appelle ici *sarkikos,* c'est-à-dire « charnel », ce qui est exactement synonyme de l'expression précédente. L'homme *psychique* et l'homme *charnel,* c'est la même chose. C'est l'homme seulement homme, qui n'a pas encore accompli la transformation qui va le faire passer à un autre ordre, que Paul appelle spirituel *(pneumatikon)* en un sens technique et précis : l'ordre dans lequel l'homme est en communication avec l'esprit de Dieu, ou avec Dieu qui est esprit.

D'ailleurs, on peut le lire, l'expression : « N'êtes-vous pas charnels *(sarkikoi)* ? » est explicitée par cette autre expression : « Ne marchez-vous pas selon l'homme ? »

Ce que Paul appelle l'ordre de la *chair,* c'est donc l'ordre humain avant la transformation à laquelle l'homme est appelé.

Dans ce texte on remarque aussi que Paul distingue les bébés et les adultes dans le christ. Les bébés ne peuvent pas supporter la nourriture des adultes. Nous verrons que cette doctrine d'un développement, d'un passage de l'âge infantile à l'âge adulte, va se retrouver chez les grands maîtres de la théologie mystique, par exemple Jean de la Croix. Il y a une science rudimentaire qui est adaptée aux débutants dans le christ, et puis une science pour ceux qui sont plus avancés dans la transformation.

Plus loin, dans la même lettre adressée aux chrétiens de Corinthe, Paul reprend ce thème :

« C'est d'une manière partielle que nous connaissons... Lorsque viendra ce qui est parfait, accompli, achevé *(to teleion),* alors ce qui est partiel sera aboli. Lorsque j'étais un petit enfant, je parlais comme un petit enfant, je pensais comme un petit enfant, je raisonnais comme un petit enfant. Lorsque je suis devenu un homme adulte, j'ai supprimé ce qui était enfantin. Pour l'instant, nous voyons à travers un miroir, d'une manière analogique. Plus tard (lorsque sera venu le terme), nous verrons face à face. Pour l'instant je connais d'une manière partielle. Lorsque sera venu le terme je connaîtrai comme j'ai été connu. » (1 Co 13, 9 s.)

Toujours dans la même lettre aux chrétiens de Corinthe, Paul explique que le premier homme, — ou la première humanité, — a été créé animal, c'est-à-dire psychique, puisque le mot latin *anima* ne fait que traduire le grec *psuchè ;* que la première humanité était dans une condition qui était la condition animale, et que le spirituel, au sens technique que ce terme revêt chez Paul, vient à la fin. L'homme est un animal appelé à devenir spirituel, c'est-à-dire participant de l'esprit qui est Dieu, ou de Dieu qui est esprit. Mais il est d'abord animal, — c'est la première création, — et il ne deviendra spirituel qu'au *terme* de l'œuvre de Dieu, c'est-à-dire maintenant que Dieu lui-même est venu vivre parmi nous pour nous faire participer à sa propre vie.

Paul écrit cela contre les gnostiques qui, déjà de son temps, professaient tout juste le contraire à savoir que la première humanité, ou le premier Homme, avaient été créés spirituels, transcendants, en condition divine, et puis que, par la suite d'une chute, le *prôto-anthrôpos,* l'homme originel, que la Gnose juive qui est la Kabbale appellera *adam kadmôn,* ou, en hébreu, *adam ha-rischôn,* — ce premier Homme est tombé dans la matière, dans l'existence corporelle. L'existence corporelle, animale, serait donc, dans cette perspective gnostique, le résultat d'une chute, un état second et non premier.

Contre ce schème gnostique, Paul écrit, citant la bible hébraïque dans sa traduction grecque :

« Ainsi est-il écrit : le premier homme (*adam* dans le texte hébreu) est devenu une âme vivante. Et Paul ajoute : l'Homme ultime, l'Homme final, ou terminal, sera un esprit vivifiant. Mais ce n'est pas le spirituel qui est premier, originel. C'est l'animal qui est premier *(to psuchikon),* ensuite seulement le spirituel *(to pneumatikon).* Le premier homme est issu de la terre, il est terrestre. La seconde humanité vient du ciel (ou : est née du ciel, *ek ouranou)...* De même que nous avons porté l'image du terrestre, nous porterons aussi l'image du céleste.

« Je dis ceci, frères : la chair et le sang ne peuvent pas hériter le royaume de Dieu, et la corruption ne peut pas hériter l'incorruptible. Voici, je vous dis un secret *(mustè-rion)* : nous ne nous coucherons pas tous pour mourir, mais tous nous serons changés, transformés... » (1 Co 15, 45.)

Dans ce texte, Paul enseigne donc formellement que l'Homme, ou l'humanité, est appelée à une transformation fondamentale qui la fera passer de l'ordre psycho-biologique (ce qu'il appelle le *psuchikon*) à l'ordre spirituel (le *pneumati-kon*). Dans le plan de la création, l'homme est d'abord créé animal, c'est-à-dire appartenant à l'ordre psycho-biologique, et puis ultérieurement, dans une étape ultérieure de la création, il est appelé à une transformation qui fera de lui un être capable d'entrer dans le royaume de Dieu (en araméen : *malkouta si-schemaiia*), c'est-à-dire dans la vie même de Dieu. L'ordre psycho-biologique, que Paul appelle ici, en utilisant une expression hébraïque *(basar we-dam)* dans sa traduction grecque, « la chair et le sang », ne peut pas, en tant que tel, entrer dans l'économie de la vie de Dieu, tout simplement parce que Dieu est esprit. L'ordre physique et biologique n'entrera pas, tel quel, dans l'économie de la durée qui vient, la durée éternelle qui est la vie de Dieu. Il faut donc que l'homme subisse une transformation, et tous nous la subi-rons, que nous soyons morts au dernier jour ou encore vivants. De toute manière il faut subir cette transformation pour entrer dans le royaume de Dieu, transformation qui nous fait passer de la condition animale à une nouvelle condi-tion, qui est d'un autre ordre, que Paul appelle spirituel *(pneumatikon)*.

Dans une lettre que Paul écrivit à la communauté chré-tienne de Rome autour des années 57-58, il explique que le *vieil homme,* ou l'*homme ancien* doit mourir afin que naisse l'homme nouveau :

« Ne savez-vous pas que nous tous qui avons été baptisés dans le christ Ieschoua, c'est dans sa mort que nous avons été baptisés ? Nous avons été mis au tombeau avec lui, par le baptême, dans la mort, afin que, tout comme le christ s'est levé d'entre les morts, par la gloire du père (c'est-à-dire de Dieu), ainsi, nous aussi nous marchions en nouveauté de vie... Sachant ceci : que notre vieil homme *(ho palaios hèmôn anthrôpos)* a été co-crucifié (avec le christ)... » (Rm 6, 3 s.)

Nous retrouverons plus loin la doctrine de la mort qui s'exprime dans ce texte, lorsque nous aborderons pour elle-même la question de savoir comment les mystiques chrétiens comprennent la mort et ce qu'ils entendent par là. Nous verrons aussi comment la doctrine ici exprimée prend tout son sens lorsqu'on étudie la fonction de l'ascèse dans le développement et la transformation de l'homme. Notons simplement pour l'instant l'opposition entre le *vieil homme,* la vieille humanité, et l'*humanité nouvelle* qui se formule ici.

Nous la retrouvons sous une autre forme, toujours dans la lettre de Paul à la communauté chrétienne de Rome, dans l'opposition entre l'*homme intérieur,* qui est l'homme spirituel, qui est l'homme nouveau en train de se former en nous, et l'homme extérieur, qui est l'homme ancien, qui est l'homme animal en train de se corrompre :

« Je consens à la norme *(ho nomos,* qui traduit l'hébreu *torah)* de Dieu quant à l'homme intérieur. Mais je constate l'existence d'une autre norme qui opère dans mes membres et qui entre en guerre contre la norme de mon intelligence et qui me fait prisonnier dans la loi du péché... » (Rm 7, 22.)

Ici Paul note que l'homme intérieur, qui est en train de se former, l'homme nouveau ou l'homme spirituel, consent à la norme créatrice de Dieu, cette normative qui conduit à la liberté, ou, plus simplement, consent au dessein créateur de Dieu sur l'homme, mais que l'homme ancien, le vieil homme, est travaillé, lui, par ce que nous appellerions dans notre langage d'aujourd'hui d'antiques « programmations », qui entrent en conflit avec la norme créatrice que Dieu lui-même propose dans le mouvement du prophétisme hébreu.

Ce n'est pas dire que ces antiques programmations, transmises génétiquement, et inscrites dans notre paléo-encéphale, soient mauvaises en tant que telles. Elles ont eu leur fonction biologique dans l'histoire antérieure de la vie. Mais l'homme est justement un animal invité à aller plus loin, et donc à dépasser ces vieilles programmations.

Exemples : ces vieilles programmations, qui datent au moins du début du règne des mammifères, nous commandent de répondre à l'agression par l'agression. Celui dont les enseignements ont été consignés dans les évangiles synoptiques et dans le quatrième évangile, nous enseigne une nouvelle norme, une nouvelle programmation, originale, paradoxale : ne pas répondre à l'agression par l'agression, mais répondre à l'agression par la création, comme le fait le Créateur incréé lui-même, autrement dit devenir coopérateur du Créateur en allant dans le sens de la croissance et du développement de l'être, et non dans le sens de la destruction des êtres.

Autre exemple : les vieilles programmations qui commandent notre comportement politique et qui constituent le fond de notre « inconscient » (l'inconscient le plus ancien n'est pas du refoulé [1]), ces vieilles programmations nous recommandent la défense du territoire, la défense de la propriété, la soumission servile aux caïds, aux *führer* ou aux *duci,* la mystique du chef que l'on trouve dans quantité de sociétés animales, avec ses rituels de soumission.

Le maître galiléen qui est venu enseigner la nouvelle programmation n'avait pas de territoire propre. Il n'avait pas même un endroit pour reposer sa tête. Exprès, intentionnellement, il a renoncé à tout usage de la propriété, et il a expressément recommandé de ne pas thésauriser, de ne pas accumuler, de ne pas se soucier de l'avoir. Enfin, à l'égard des autorités politiques et militaires il a professé une indépendance, il a marqué une distance pour ne pas dire une désinvolture, qui est tout à fait incompatible avec ce que les régimes tyranniques, de droite ou de gauche, exigent. Il a manifestement enseigné une nouvelle programmation, une nouvelle norme, qui entre en effet en conflit avec les vieilles programmations inscrites dans notre vieux cerveau depuis que l'homme existe, programmations qui avaient été élaborées bien avant l'apparition de l'homme.

Toujours dans la lettre aux chrétiens de Rome, Paul écrit :

---

1. Nous y reviendrons plus loin, p. 147 et s.

« Ceux qui vivent selon la chair (*kata sarka;* comprenons : selon l'ordre ancien, selon les vieilles normes biologiques et psychologiques de la vieille humanité), ceux-là pensent conformément à la chair (comprenons : ils pensent et ils agissent selon les modalités de l'existence biologique et psychologique ancienne). Ceux qui vivent selon l'esprit (c'est-à-dire selon l'homme nouveau, qui est né, non pas de la chair, mais de Dieu), ceux-là pensent les choses de l'esprit (ou conformément à l'esprit).

« La pensée (ou : la mentalité) de la chair, c'est la mort. La pensée (ou : la mentalité) de l'esprit est vie et paix. C'est la raison pour laquelle la pensée (ou : la mentalité) de la chair est inimitié à l'encontre de Dieu; elle n'est pas soumise à la norme de Dieu, et elle ne le peut pas... Ceux qui sont (qui vivent) dans la chair (c'est-à-dire selon l'ordre biologique ancien) ne peuvent pas plaire à Dieu. Mais vous, vous n'êtes pas dans la chair (vous ne vivez pas selon les modalités biologiques et psychologiques anciennes), mais dans l'esprit, si toutefois l'esprit de Dieu habite en vous... » (Rm 8, 5.)

Il y a en somme, pour Paul, deux sortes de pensée, deux manières de penser, deux types de mentalité : la pensée ou la mentalité de la vieille humanité, qui vit selon les programmations animales, aggravées par le fait que l'homme est un animal capable de conscience réfléchie et donc de pervertir les programmations naturelles, capable par exemple de torturer, ce que ne font pas le tigre ni le lion, — et puis la pensée ou la mentalité de l'humanité nouvelle, celle qui vit selon l'esprit, c'est-à-dire qui reçoit l'information communiquée par l'esprit de Dieu, ou par Dieu qui est esprit.

Cela constitue deux espèces d'humanité, dont la pensée, les objectifs, la finalité, la manière d'être, ne sont pas les mêmes : l'humanité ancienne et l'humanité nouvelle.

La pensée, ou la mentalité, de la chair, écrit Paul, c'est la mort. Qu'est-ce que cela signifie ? Nous essaierons d'examiner plus loin en quoi consiste la doctrine des mystiques chrétiens concernant l'inconscient. Mais notons déjà ici, en passant, que pour Paul, il existe dans le vieil homme, c'est-à-dire en nous tous, avant notre nouvelle naissance, une pensée qui va à la mort, la nôtre d'abord, et puis sans doute aussi celle des autres. L'ordre biologique et psychologique ancien, l'ordre animal qui nous constitue premièrement, n'est pas capable, par lui-même et tout seul, de la vie éternelle. Dès lors qu'il accède à la conscience réfléchie, il n'est capable que de cette tristesse selon la chair, dont parle Paul dans une autre de ses lettres, cette tristesse qui est si bien exprimée dans plusieurs philosophies modernes qui professent que l'homme est un être-pour-la-mort, *Sein zum Tode,* c'est-à-dire dans leur pensée, pour le néant.

Pour Paul, seul l'homme nouveau, l'homme nouvellement créé, celui qui vit selon l'esprit, l'esprit de Dieu bien entendu, seul cet homme nouveau est capable d'espérer la vie éternelle, et aussi d'aimer les êtres créés. La maladie mortelle de l'homme ancien, c'est le désespoir. Il n'est capable de penser qu'à la mort, la sienne et celle des autres. Il n'est capable que de produire la mort, la sienne et celle des autres, par le massacre et par le suicide.

Une difficulté se dresse cependant en présence de cette perspective que nous ouvre la pensée de Paul. Si, pour parler notre langage moderne, les vieilles programmations sont l'œuvre du Créateur unique, comme l'exige le monothéisme, comment comprendre qu'il y ait un tel conflit entre ces vieilles programmations et la volonté actuelle de Dieu, conflit si profond que, nous dit Paul, ceux qui vivent selon les modalités de la vieille humanité (= la chair), ceux-là ne peuvent pas plaire à Dieu. Ils sont en régime d'hostilité par rapport à Dieu le Créateur. N'y a-t-il pas dans cette perspective de quoi nous faire basculer dans le dualisme de Marcion ou de Mani, qui professaient que le créateur du monde physique, des corps et du monde animal, est le principe mauvais ?

Nous ne le pensons pas.

D'abord, il faut tenir compte de la perspective génétique. Ce qui était bon pour les espèces animales anciennes, ce qui était bon et nécessaire pour les préhominiens et peut-être même pour l'humanité émergeant progressivement de l'animalité, n'est pas nécessairement bon pour l'humanité d'aujourd'hui et de demain, si précisément l'homme est un animal appelé à une destinée ultérieure, et donc à dépasser sa condition animale présente.

Ce qui est mauvais, ce ne sont pas les vieilles programmations, c'est de s'y tenir, de s'y fixer, de s'y cramponner, de même que ce qui est mauvais, ce n'est pas la psychologie enfantine, mais d'y rester demeuré vers la cinquantaine... Ce qui est mauvais, ce n'est pas d'être chenille. C'est de refuser la transformation par laquelle la chenille devient papillon.

D'autre part, et comme nous l'avons déjà noté, le fait que l'homme est un animal capable de connaissance réfléchie, à cause de son néocortex, a introduit dans l'économie biologique de l'existence de cet être un facteur nouveau, comme l'a souligné à la fin de sa vie le paléontologiste français Pierre Teilhard de Chardin. « Le pas de la réflexion » comme il disait, provoque une mutation, dans tous les sens, pour le meilleur et pour le pire. L'homme est un animal capable de faire de la métaphysique, de composer de la musique, de peindre et de sculpter, mais c'est aussi un animal capable de massacrer les êtres appartenant à la même espèce que lui, et de les torturer. C'est faire gravement injure aux bêtes sauvages que de parler de la « bestialité » de certains hommes, car jamais les animaux sauvages n'ont commis les horreurs que commettent aujourd'hui, au XXe siècle, les nations que l'on croyait naïvement civilisées. Un tigre ou un lion se sentiraient déshonorés s'ils faisaient ce que font les spécialistes de l'interrogatoire dans diverses nations modernes, et la lionne, comme la tigresse, ne tuent pas leurs propres petits, et ne réclament pas à la Sécurité sociale le remboursement de ce meurtre.

C'est dire que, dans ce que Paul appelle le « vieil homme » ou « la chair », il convient sans doute de distinguer d'une part ce que nous avons appelé les vieilles programmations, les programmations transmises génétiquement et inscrites dans le paléoencéphale, et puis ce que l'humanité a fait d'elle-même depuis qu'elle existe, ce qu'elle a ajouté, ce qu'elle a perverti et dénaturé. C'est tout cela, sans doute, qui constitue, dans la pensée de Paul, le vieil homme. Il y a l'inné, et puis il y a l'acquis, qui a été transmis de génération à génération.

Dans une seconde lettre écrite par Paul aux chrétiens de Corinthe (du moins dans la deuxième qui nous ait été conservée), et qui date sans doute de l'année 57, Paul écrit :

« Si notre homme extérieur *(ho exô hèmôn anthrôpos)* se corrompt, mais notre homme intérieur *(ho esô)* se renouvelle de jour en jour... » (2 Co 4, 16.)

Voilà, nous y reviendrons, la conception chrétienne du vieillissement et de la mort. Quelque chose se corrompt en nous et vieillit (second principe de la thermodynamique), c'est le vieil homme, ou l'homme extérieur. Mais un être nouveau est en train de se former en nous, qui est né avec le baptême, et cet être continue de se créer et de se renouveler jusqu'à la mort inclusivement, laquelle n'est pas le néant. Il y a simultanément en nous, pour parler le langage moderne, croissance de l'entropie et croissance de l'information. Un être se forme en nous qui, lui, est appelé à la vie éternelle et qui en sera capable, lorsqu'il aura atteint la taille suffisante. Le vieillissement externe est corrélatif d'un renouvellement interne. Le désespoir du vieil homme qui meurt est accompagné en sourdine par la jubilation de l'homme nouveau qui est en train de naître et de se former.

Cela ne se trouve pas dans Heidegger.

Et Paul, dans la même lettre, ajoute :

« En sorte que si quelqu'un est dans le christ, il est création nouvelle, *kainè ktisis*. Les vieilles choses (le vieil ordre des choses) sont passées ; voici que tout est devenu nouveau. » (2 Co 5, 17.)

La dernière phrase est une réminiscence, sans doute, du texte d'un prophète qui a pris part à l'exil des Juifs à Babylone, et qui disait :

« Ne vous souvenez plus des premières choses, et, à ce qui était au commencement, n'y pensez plus. Voici que moi je fais quelque chose de nouveau... Voici que déjà cela germe. Ne le reconnaîtrez-vous pas ? » (Is 43, 18.)

C'est le christ, c'est-à-dire le verbe incarné, c'est-à-dire Dieu venu vivre parmi nous en assumant l'homme dans l'unité d'une personne[1] qui est le fondateur de la nouvelle création, de l'humanité nouvelle capable de prendre part à la vie éternelle de Dieu. C'est pourquoi il est la cellule mère, le germe, de cet organisme spirituel qui est le royaume de Dieu : l'humanité informée par le verbe de Dieu.

Celui qui est dans le christ, enraciné dans le christ, ou greffé sur lui, qui reçoit de lui la pensée et la vie qui vient de Dieu, celui-là est en effet une nouvelle création. C'est cela que Paul appelle l'homme nouveau.

Dans la lettre qu'il écrivit, vers 57, aux chrétiens de Galatie, Paul relie sa doctrine des âges de l'homme à une doctrine générale des âges de l'humanité, c'est-à-dire à une philosophie de l'histoire :

« Je dis qu'aussi longtemps que l'héritier est un enfant en bas âge, il ne diffère en rien d'un serviteur, quoiqu'il soit seigneur de tous les biens. Mais il est soumis à des tuteurs et à des administrateurs... De même, nous aussi, lorsque nous étions des enfants en bas âge, nous étions asservis aux éléments du monde[2].

« Mais lorsque est venue la plénitude du temps, Dieu a envoyé son fils, né d'une femme, né sous la loi (la loi juive, la *torah*) afin de racheter (c'est-à-dire de libérer[3]) ceux qui sont sous la loi, afin que nous recevions l'adoption filiale.

« Parce que vous êtes (maintenant) fils, Dieu a envoyé l'esprit de son fils dans nos cœurs (c'est-à-dire dans nos intelligences, sens hébreu de *leb*), criant : *Abba,* c'est-à-dire : Père!

« En sorte que tu n'es plus esclave, mais fils. Si tu es fils, tu es aussi héritier, par Dieu... » (Ga 4, 1 s.)

Dans ce texte, Paul expose comment l'humanité a d'abord été asservie aux « éléments du monde ». « Alors, écrit Paul

---

1. Nous avons exposé, à l'intention de ceux qui ne la connaîtraient pas, ce qu'est la pensée de l'Église en ce qui concerne le christ, comment elle comprend la personne du christ, *Introduction à la théologie chrétienne*, Paris, Éd. du Seuil, 1974, p. 109 et s.

2. Paul fait sans doute allusion ici à l'idolâtrie répandue dans toutes les nations anciennes, et en particulier au culte des astres et des forces naturelles.

3. Voir la signification du mot « rédemption », *Introduction à la théologie...*, p. 628.

une ligne plus loin, vous ne connaissiez pas Dieu, et vous étiez asservis à des êtres qui, par nature, ne sont pas des dieux. » (Ga 4, 8.)

L'humanité est passée de l'idolâtrie au monothéisme, et puis, lorsque la plénitude du temps est venue, lorsque l'humanité a été mûre pour recevoir cette visite et pour l'accueillir, Dieu a envoyé celui qui est son propre fils, né de la femme, né dans le judaïsme et donc sous la loi juive.

Par lui nous recevons l'adoption filiale. Nous devenons, ce que nous n'étions pas par nature, fils de Dieu. Nous devenons par grâce ce que le fils, c'est-à-dire le *logos* incarné, est par nature.

Et nous recevons l'esprit du fils, qui est aussi l'esprit de Dieu, et nous pouvons appeler Dieu du nom dont Ieschoua se servait, le mot araméen *abba,* qui signifie « père », en un sens familier et donc intime [1]. Nous pouvons appeler Dieu « père » comme Ieschoua appelait lui-même Dieu « son père ».

La filiation et l'adoption viennent donc au terme de l'œuvre de Dieu, et non au commencement. Cela concorde avec ce que nous avons vu précédemment : l'esprit est donné à la fin. L'homme est d'abord créé *psychique,* c'est à la fin seulement qu'il devient spirituel, c'est-à-dire participant de l'esprit saint, qui est l'esprit de Dieu.

C'est donc bien, pour l'ensemble de l'humanité, pour l'histoire humaine, une perspective génétique et progressive que nous présente Paul dans ce texte.

Dans la même lettre aux Galates, Paul formule de nouveau sa doctrine de la création nouvelle :

« Car ce n'est pas la circoncision qui est quelque chose, ni l'incirconcision, mais (le fait d'être) création nouvelle, *kainè ktisis.* » (Ga 6, 15.)

Il ne faut donc pas croire que la vie mystique, au sens où l'entend Paul et les mystiques chrétiens qui suivront au cours des siècles, soit une spécialité réservée à quelques

---

1. Cf. les beaux travaux de JOACHIM JÉRÉMIAS, en particulier *Abba,* Göttingen, 1966 (trad. fr. : *Abba, Jésus et son Père,* Paris, 1973).

excentriques, à une caste de privilégiés. La vie mystique, c'est-à-dire la transformation de l'homme, son passage de l'animalité à la participation à la vie divine, c'est l'unique destinée de tout homme, qu'il le sache ou non. Cette vie mystique commence réellement dès lors que l'homme est travaillé, qu'il le sache ou non, par l'esprit saint, c'est-à-dire l'esprit de Dieu, c'est-à-dire Dieu qui est esprit.

C'est ce qu'écrit Paul dans sa lettre aux chrétiens de Rome :

« Ceux qui sont menés, conduits, par l'esprit de Dieu, ceux-là sont enfants de Dieu. Car vous n'avez pas reçu un esprit de servitude (ou de servilité) pour craindre, mais vous avez reçu un esprit d'adoption, dans lequel nous crions : *Abba,* ce qui signifie (en araméen) : Père! Car l'Esprit lui-même atteste en commun avec notre esprit que nous sommes enfants de Dieu. Si nous sommes fils, nous sommes aussi héritiers; héritiers de Dieu, co-héritiers du christ, si toutefois nous souffrons avec lui afin d'être co-glorifiés avec lui. » (Rm 8, 14.)

La vie mystique, c'est la communication à l'homme, par Dieu, de l'esprit saint, c'est-à-dire de l'esprit de Dieu, que l'homme le sache ou non. Nous retrouverons cette question lorsque nous aborderons la doctrine de l'inconscient.

La communication de l'esprit saint à l'homme, c'est cela le commencement de la vie nouvelle à laquelle l'homme est appelé. Et c'est pourquoi Paul peut parler des *arrhes* de l'esprit :

« Il a donné les arrhes de l'esprit dans nos cœurs. » (2 Co 1, 22; 5, 5.)

Autrement dit, la vie mystique, la dimension mystique ou surnaturelle, fait normalement partie de l'homme tel qu'il existe concrètement. Une anthropologie complète, intégrale, doit en tenir compte, et une anthropologie qui se refuse à l'observer ou à le découvrir est une anthropologie mutilée, décapitée.

Dans les lettres écrites à la fin de sa vie, entre les années soixante et un et soixante-trois, Paul reprend et développe sa doctrine de l'humanité nouvelle. Dans la lettre aux chrétiens d'Éphèse, Paul écrit que le christ Jésus rassemble les parties dispersées de l'humanité, Israël et les nations païennes, pour créer une humanité nouvelle, ou un Homme nouveau *kainon anthrôpon* (Eph 2, 15).

Plus loin, dans la même lettre, Paul explique comment les saints doivent atteindre à « la taille de l'homme accompli ou parfait, *eis andra teleion,* la taille de la plénitude du christ, afin que nous ne restions plus des enfants en bas âge » (Eph 4, 13).

Plus loin encore, Paul écrit aux chrétiens d'Éphèse : « Ne marchez pas, ne vous conduisez pas comme se conduisent les païens, dans la vanité de leur intelligence, enténébrés dans leur pensée, devenus étrangers à la vie de Dieu à cause de l'ignorance qui est en eux... Vous, ce n'est pas ainsi que vous avez appris le christ... Vous avez appris à vous défaire de votre ancienne manière d'être et d'agir : le vieil homme qui se corrompt...; à vous renouveler par et dans l'esprit de votre intelligence, et à revêtir l'homme nouveau, *ton kainon anthrôpon,* celui qui est créé selon Dieu... » (Eph 4, 17.)

Mêmes expressions dans la lettre aux Colossiens : « Vous avez dévêtu le vieil homme *(ton palaion anthrôpon),* avec ses actions, et vous avez revêtu le nouveau *(ton neon),* celui qui se renouvelle dans la connaissance conformément à l'image de celui qui l'a créé — et là il n'y a plus ni Grec ni Juif, il n'y a plus de circoncision ni d'incirconcision, il n'y a plus de Barbare, de Scythe, d'esclave, d'homme libre, — mais le christ est toutes choses en tous... » (Col 3, 9.)

C'est donc bien une perspective génétique que propose Paul, pour l'humanité entière dans son développement historique, et pour chacun de nous. En langage de biologiste : du point de vue de la phylogenèse, et du point de vue de l'ontogenèse.

La perspective génétique qu'enseigne saint Paul a été souvent méditée par les pères, grecs et latins, et tout particulièrement par saint Irénée de Lyon, qui explique que Dieu ne pouvait pas, non pas à cause de lui-même mais à cause des conditions mêmes de l'être créé, créer l'homme achevé, parfait *(teleion)* dès le début, et d'un seul coup. L'homme devait être créé inachevé, afin de croître et de se développer progressivement, et de faire son apprentissage d'homme. La création comporte nécessairement des étapes, des moments. Les choses ne peuvent pas se faire d'un seul coup, surtout en ce qui concerne l'homme, qui est appelé à une destinée transcendante. Irénée reprend et développe la pensée de Paul, à partir des textes que nous avons lus[1].

La vie mystique, c'est-à-dire la transformation de l'homme, la nouvelle création, est effectuée, réalisée, par Dieu lui-même qui s'unit l'homme dans l'unité d'une personne, c'est-à-dire dans le verbe incarné. La vie mystique est la *transformation* de l'homme. Elle est la communication, par Dieu, à l'homme, d'une *information* créatrice. Le *logos* même de Dieu est communiqué à l'homme. L'homme réalise cette transformation s'il se *conforme* au christ le verbe incarné, non pas par une imitation simplement externe, mais par une *conformation* interne qui renouvelle totalement son être.

Transformation, information, conformation, et aussi métamorphose : c'est une famille de mots que nous allons retrouver chez les maîtres de la mystique chrétienne. Ils se lisent constamment chez saint Thomas d'Aquin. Ils sont repris par saint Jean de la Croix.

Le langage de la théorie de l'information est celui qui convient spontanément pour exposer la doctrine de la création, et aussi cette création nouvelle qu'est la vie mystique.

Les docteurs chrétiens n'ont pas attendu le xxᵉ siècle pour l'utiliser.

Dans sa lettre aux chrétiens de Rome, Paul écrit : « Ceux qu'il (= Dieu) a connus à l'avance, et qu'il a prédestinés (à devenir) conformes *(summorphous)* à l'image de son fils, en sorte que lui (le fils) est le premier-né parmi une multitude de frères... » (Rm 8, 29.)

Le verbe incarné est le premier-né de la nouvelle création, ou de l'humanité nouvelle. Nous participons au régime de cette nouvelle création si nous devenons conformes, inté-

---

1. Nous avons traduit et commenté quelques pages de saint Irénée sur cette question dans *la Métaphysique du christianisme et la Naissance de la philosophie chrétienne,* Paris, Éd. du Seuil, 1962, p. 657 et s.

rieurement, dans notre être, au verbe incarné, que Paul appelle le « fils ».

Dans la même lettre aux chrétiens de Rome, un peu plus loin, Paul écrit :

« Je vous le recommande, frères... Ne vous conformez pas aux schémas *(mè suschèmatizesthe)*, aux modes, aux idées régnantes, de la durée de ce monde-ci *(tô aiôni toutô)*, — mais métamorphosez-vous *(metamorphousthe)* par le renouvellement de l'intelligence *(tê anakainôsei tou noos)*... » (Rm 12, 2.)

Dans la seconde lettre aux Corinthiens, Paul emploie de nouveau le terme de *métamorphose,* en relation avec le verbe incarné dont nous tenons la nouveauté de création :

« Quant à nous tous, à visage dévoilé, nous réfléchissons (comme un miroir) la gloire du Seigneur; nous sommes métamorphosés *(metamorphoumetha)* en assimilant son image et sa ressemblance *(tèn eikona),* de gloire en gloire (c'est-à-dire : ce que nous recevons vient de sa gloire, à lui le Seigneur; et cela conduit à notre gloire; la métamorphose va de sa gloire à lui le Seigneur, à notre gloire à nous), — puisque cela est opéré de la part du Seigneur qui est esprit... » (2 Co 3, 18.)

Et dans la lettre aux Galates, Paul écrit, à propos de la crise qui sévit dans la jeune église :

« Mes petits enfants, vous pour qui je souffre de nouveau les douleurs de l'enfantement, jusqu'à ce que le christ soit *formé (morphôthè)* en vous... » (Ga 4, 19.)

Il s'agit donc bien d'une information si profonde de l'humanité par le christ qu'elle peut s'exprimer d'une manière équivalente comme une formation du christ dans l'humanité. « Ce n'est plus moi qui vis, c'est le christ qui vit en moi. » (Ga 2, 20.)

Dans la lettre aux Philippiens, Paul dit qu'il est devenu *conforme,* qu'il s'est conformé *(summorphizomenos)* à la mort du christ (Phi 3, 10.) Un peu plus loin, Paul écrit : « ... nous attendons le sauveur, le seigneur Jésus christ, qui transformera *(metaschèmatizei)* le corps de notre humilité, le rendant conforme *(summorphon)* au corps de sa gloire... » (Phi 3, 21.)

Pour expliquer ce qu'est la mystique chrétienne, nous avons évoqué l'analogie des métamorphoses biologiques. L'objet de la mystique, c'est d'opérer en l'homme une telle métamorphose, qui le conduise de son état présent, un être émergeant péniblement de l'animalité, — à l'état auquel il est invité : la participation à la vie divine. Il s'agit d'une véritable transformation de tout l'être.

Quelque lecteur a pu être surpris, ou même choqué, par cette analogie des métamorphoses.

Cette analogie, elle se trouve, longuement développée, chez l'un des maîtres de la vie et de l'expérience mystiques, sainte Thérèse d'Avila [1], dans l'ouvrage qui s'appelle *le Château intérieur* [2]. Thérèse y médite longuement sur le ver à soie et sur ses métamorphoses : Comment le ver à soie devient papillon...

Thérèse y explique comment cette métamorphose, cette transformation, implique et exige une certaine mort, dont nous parlerons plus loin longuement. « Il faut que le ver à soie meure, et il vous en coûtera beaucoup [3]. » Mais cette métamorphose, cette transformation aboutit à un être nouveau : « Il (le Seigneur) transforme l'âme dont on ne reconnaît plus rien, pas même son visage [4]. »

Saint Jean de la Croix est le théoricien des transformations qui sont requises pour que l'homme puisse passer de son état présent, de sa condition présente, animale, à la condition à laquelle il est invité : la participation personnelle à la vie divine.

Dans toute son œuvre, saint Jean de la Croix reprend et développe la doctrine que nous avons vue formulée par l'auteur du quatrième évangile et par saint Paul.

---

1. Pour la biographie de Thérèse, née en 1515, à Avila, cf. MARCELLE AUCLAIR, *La Vie de sainte Thérèse d'Avila,* Paris, Éd. du Seuil, 1950.
Nous citons toujours Thérèse d'après la traduction des *Œuvres complètes* faite par Marcelle Auclair, Paris, 1964. Lorsque nous nous référons au texte espagnol, nous citons d'après Santa Teresa de Jesus, *Obras completas,* Biblioteca de Autores Cristianos, Madrid, 1972.
2. Trad. cit. cinquièmes demeures, chap. II, p. 931 et s.
3. p. 940.
4. p. 934.

Jean de la Croix commente le texte du quatrième évangile que nous avons lu :

« Il a donné le pouvoir d'être faits enfants de Dieu — c'est-à-dire de se pouvoir transformer en Dieu — seulement à ceux qui ne sont point nés des sangs — c'est-à-dire à ceux qui ne sont points nés des complexions et compositions naturelles — ni non plus de la volonté de la chair — c'est-à-dire de l'arbitre de quelque habileté ou capacité naturelle — ni moins encore de la volonté de l'homme — en quoi est compris tout mode et manière de juger et concevoir avec l'entendement. Il n'a donc pas donné pouvoir à aucun de ceux-là d'être faits enfants de Dieu; mais seulement à ceux qui sont nés de Dieu, c'est-à-dire à ceux qui renaissant par grâce, mourant premièrement à tout ce qui est du vieil homme s'élèvent au-dessus de soi au surnaturel, recevant de Dieu cette autre naissance et cette filiation, qui est au-dessus de tout ce que l'on peut penser[1]... »

On voit que c'est la pure doctrine du quatrième évangile et de saint Paul.

Jean de la Croix va exposer longuement en quoi consiste et comment s'opère la *transformation* de l'âme en Dieu, qui est requise pour que l'homme accède à ce que les évangiles appellent le royaume de Dieu, c'est-à-dire la participation à la vie même de Dieu.

« Nous traitons, écrit Jean de la Croix, dans le prologue à *la Vive Flamme d'amour,* du plus haut degré de perfection auquel l'âme peut arriver en cette vie — qui est la transformation en Dieu, *que es la transformacion en Dios*[2]. »

Quel est le but et le terme de cette transformation, de cette nouvelle création, qui est le but et le terme de la création tout entière, la finalité même de l'Univers ? C'est ce que nous allons voir maintenant.

---

1. *La Montée du Carmel,* liv. II, chap. v, trad. cit., p. 135.
2. *La Vive Flamme d'amour,* prologue, trad. cit., p. 954.

3

LA FINALITÉ DE LA CRÉATION

Nous avons brièvement rappelé, dans un ouvrage antérieur [1] la doctrine des pères grecs concernant la finalité ultime
de la création, à savoir la divinisation réelle de l'homme
créé.

La création ne se termine pas à la position, hors de Dieu,
du point de vue de la substance, d'êtres constitués ontologiquement distincts de lui. La création se termine par une
union libre entre l'Incréé et le créé, libre de part et d'autre.
Et cette union consentie de part et d'autre ne s'effectue pas,
ne peut pas s'effectuer sans une transformation de la part de
l'être créé qui en est naturellement capable — capable par
nature de recevoir par grâce cette transformation. Et cette
transformation s'opère par une nouvelle information créatrice communiquée par le verbe incarné.

C'est dans la personne du verbe incarné que s'opère et se
réalise cette divinisation de l'homme créé, avec le consentement de celui-ci.

Mais cette divinisation de l'homme assumé ne conduit
nullement à une fusion ou à une confusion entre la nature
humaine et la nature divine. Les deux natures restent distinctes, quoique l'union soit aussi intime que possible [2]. Et
dans l'unique personne du christ, la volonté humaine subsiste, libre, dans l'union avec la volonté divine [3].

1. *Introduction à la théologie chrétienne,* p. 483 et s.
2. Cf. dans la même *Introduction,* le chapitre consacré au concile de Chalcédoine, p. 211 et s.
3. Cf. dans le même ouvrage le chapitre consacré à la question des volontés
dans le christ, p. 232 et s.

Tel est le but de la création selon la métaphysique et la théologie chrétiennes : l'union de l'être créé à l'être incréé, sans confusion des natures ni des personnes.

C'est-à-dire que nous ne sommes pas du tout dans la perspective de la grande tradition moniste, qui remonte à la théosophie brahmanique, qui se continue avec Plotin, puis avec Spinoza.

Dans cette grande tradition moniste, il n'y a pas réellement création d'êtres multiples distincts de l'Etre absolu. Il y a modification de l'unique Substance, mais non création. La sagesse consistera toujours, dans cette tradition, à retrouver l'évidence de notre unité originelle avec l'Absolu.

Dans le système de référence de la métaphysique chrétienne, il n'est pas question de retourner à l'Unité originelle, car nous n'y avons jamais été. Nous n'avons jamais été l'Absolu. Il n'est pas question de retourner en arrière et de nous fondre, comme des gouttes d'eau dans l'Océan de la Substance unique. Il est au contraire question, par un travail de Dieu en nous, et par une coopération active de l'homme à l'action créatrice de Dieu, d'accéder à un achèvement, qui n'a jamais été réalisé dans le passé, et qui ne s'atteindra que dans l'avenir.

C'est dire que la métaphysique, la théologie et la mystique chrétiennes, impliquent une certaine conception du temps, qui n'est certes pas linéaire, comme on l'a écrit maladroitement, mais vectorielle : le temps mesure une genèse irréversible et orientée vers un terme. C'est-à-dire que le temps et la finalité sont conjoints.

Nous allons maintenant aborder l'exposé de ce but ultime de la création selon les mystiques chrétiens.

Ce but ultime ne peut être atteint que par des transformations et une métamorphose qui sont inévitablement douloureuses. C'est la doctrine de l'ascèse et de la mort que nous exposerons plus loin. Mais puisqu'on n'atteint au terme final, au but de la création, que par ces transformations douloureuses, pourquoi ne pas avoir exposé cette marche inévitable à travers le désert et dans la nuit obscure, avant d'exposer le but, la terre promise ?

Tout simplement parce que, nous semble-t-il, un lecteur qui n'est pas familier de cette perspective génétique de la mystique chrétienne, — et c'est à lui que nous nous adressons — a besoin de connaître le but vers lequel on le dirige, avant d'entreprendre le voyage, avant de quitter l'Égypte et ses pots d'oignons.

C'est d'ailleurs l'ordre que Thérèse d'Avila a choisi, et avant nous, lorsqu'elle a voulu exposer à ses filles l'itinéraire mystique, et pour les mêmes raisons :

« Pourquoi [...], mes filles, ai-je cherché à montrer le but et la récompense avant de décrire la bataille, et vous ai-je dit le bien qu'on éprouve à boire cette eau vive à sa source céleste ? Pour que sans vous inquiéter des peines et contrariétés du chemin, vous marchiez vaillamment, sans vous lasser [1]... »

Notons en passant que l'idée d'une finalité de la création est bien entendu inintelligible pour l'athéisme contemporain, tout simplement parce que l'idée de création est inintelligible à ses yeux. L'idée de création à son tour lui semble inintelligible, parce qu'il n'aperçoit pas la finalité ou le but, la raison d'être d'une telle création. Et l'idée de finalité lui est inintelligible, parce qu'elle implique un dessein créateur orienté, intelligent. L'athéisme, depuis plusieurs siècles, repousse donc aussi bien l'idée d'une cause première créatrice de l'Univers, que l'idée d'une finalité ultime à l'évolution de l'Univers. Il rejette l'idée que l'Univers serait une histoire ou un processus irréversible orienté. Nous l'avons montré dans un travail antérieur [2]. Nous avons vu que l'athéisme ne peut pas tolérer l'idée d'une évolution irréversible de l'Univers, pour des raisons fondamentales, dont il a, selon les auteurs, plus ou moins clairement conscience. Quoi

---

1. *Le Chemin de la perfection,* chap. XIX, trad. cit., p. 432.
2. *Les Problèmes de l'athéisme,* Paris, Éd. du Seuil, 1972.

qu'il en soit, il revient toujours, contraint par ses propres principes, à l'idée d'un éternel retour, comme c'est le cas chez Nietzsche, ou tout au moins à celle d'une évolution cyclique, comme c'est le cas chez Engels. L'idée de finalité implique et appelle l'idée de l'irréversibilité de l'Univers, et donc de son historicité.

La théologie mystique, c'est la science de l'avenir de l'homme, c'est la science qui est nécessaire pour que l'homme parvienne à la fin qui lui est assignée, son unique destinée et l'objet de son unique désir, qu'il le sache ou non : la participation, sans confusion des natures ni des personnes, à la vie divine.

Nous verrons plus loin en quoi consiste ce désir naturel d'une fin surnaturelle qui est inscrit en tout homme, quel qu'il soit, qu'il le sache ou non.

L'homme, disait Grégoire de Nazianze, est un animal divinisable *(zôon theoumenon[1])*. C'est la définition de l'homme selon le christianisme. C'est un animal, réellement, qui a sa place, au sommet, dans la série des espèces vivantes. C'est la plus récente. C'est le cerveau le plus compliqué qui existe sur notre planète.

Mais cet animal est appelé à une transformation ultérieure qui fera de lui un être capable de prendre part personnellement à la vie divine.

La mystique chrétienne, c'est la science de cette transformation.

Nous avons rappelé que, selon la christologie orthodoxe, l'incarnation, c'est d'abord une union : l'union de la nature humaine créée à la nature divine incréée, union si intime que des deux natures résulte un seul être, sans confusion, cependant, de ces deux natures. Cette union est une divinisation : divinisation de la nature humaine assumée, ou de l'Homme assumé *(Assumptus homo)*.

Voici comment Thérèse d'Avila décrit l'union de l'âme à Dieu :

« Cette union secrète s'accomplit au centre le plus profond

---

1. *Oratio* 38, XI, PG 36, 324.

de l'âme où doit se tenir Dieu lui-même, et, ce me semble, il n'a pas besoin de porte pour y entrer... Le Seigneur apparaît en ce centre de l'âme non pas dans une vision imaginaire, mais intellectuelle... D'après ce qu'on comprend, et on ne saurait dire plus, l'âme, c'est-à-dire l'esprit de cette âme *(el alma, digo el espiritu de esta alma),* ne fait plus qu'une avec Dieu *(hecho una cosa con Dios)...* Dieu a tenu à s'unir à la créature si intimement que comme ceux qui ne peuvent désormais se séparer, il ne veut pas se séparer d'elle [1]. »

Jean de la Croix expose comment les puissances de l'âme, la mémoire, l'entendement, la volonté, sont transformées par et dans ce processus de divinisation. Sans cesser d'être humaines, elles deviennent réellement divines, par participation :

« La mémoire étant transformée en Dieu, il ne peut s'y imprimer de formes ni de notices des choses. C'est pourquoi les opérations de la mémoire et des autres puissances, en cet état, sont toutes divines; parce que Dieu possédant désormais les puissances comme seigneur absolu, par leur transformation en lui *(por la transformacion de ellas en si),* c'est lui-même qui les meut et leur commande divinement selon son divin esprit et selon sa volonté; et alors, c'est de manière que les opérations ne sont pas distinctes, mais que celles que l'âme opère sont de Dieu et sont des opérations divines *(las que obra el alma son de Dios y son operaciones divinas)...* De là est que les opérations de l'âme unie sont de l'esprit divin et par conséquent sont divines *(las operaciones del alma unida son del Espiritu divino y son divinas)...*

« Et ainsi tous les premiers mouvements des puissances de ces âmes sont divins, et il n'y a point sujet de s'étonner que les mouvements et opérations de ces puissances soient divins, puisqu'elles sont transformées en un être divin *(pues estan transformadas en ser divino)* [2]... »

Dans cette union qui est divinisation de l'être créé, « Il (c'est-à-dire Dieu) lui communique son être surnaturel de

---

1. *Le Château intérieur,* 7ᵉˢ demeures, chap. II, 3, trad. cit., p. 1021.
2. *La Montée du Carmel,* liv. III, chap. II, 8-9, trad. cit., p. 312.

telle sorte qu'elle (l'âme humaine créée) paraît Dieu même et a ce que Dieu même possède. Et il se fait une telle union, lorsque Dieu départit cette surnaturelle faveur à l'âme, que toutes les choses de Dieu et de l'âme sont unes en transformation participée; et elle semble plus être Dieu qu'être âme, et même elle est Dieu par participation *(y aun es Dios por participacion)* ; encore qu'à la vérité son être naturel soit aussi distinct de celui de Dieu qu'il l'était auparavant, quoiqu'elle soit transformée; comme aussi la vitre a son être distinct de celui du rayon, lorsqu'elle en est éclairée [1] ».

Dans ce texte, Jean de la Croix souligne, comme il le fait très souvent, que dans cette union qui est divinisation de l'être créé, l'être créé reste ontologiquement distinct de l'Être incréé. Il n'y a pas confusion des natures ni des personnes, pas plus qu'en christologie orthodoxe il n'y a confusion de la nature humaine assumée et de la nature divine dans l'union appelée « hypostatique » par Cyrille d'Alexandrie [2]. Nous ne sommes donc pas du tout, avec saint Jean de la Croix, pas plus qu'avec sainte Thérèse d'Avila ou saint Paul, dans la perspective d'une métaphysique et d'une mystique monistes. La distinction fondamentale de l'être incréé et de l'être créé subsiste dans l'union la plus intime. La mystique chrétienne orthodoxe est fondée sur le rocher de la métaphysique chrétienne de la création. La mystique de saint Jean de la Croix est fondée sur l'ontologie formulée, après des siècles de travail, par saint Thomas d'Aquin.

L'audace métaphysique de saint Jean de la Croix est extrême, puisqu'il va jusqu'à dire que l'âme, dans l'union transformante, est Dieu par participation. Il le répète souvent, par exemple dans *la Nuit obscure :*

« C'est pourquoi elle s'appellera et sera Dieu par participation *(lo sera Dios por participacion)* [3]. »

Les prophètes hébreux du VIIIe siècle avant notre ère,

---

1. *La Montée du Carmel,* liv. II, chap. v, 7, p. 137.
2. Sur la signification de cette expression, cf. *Introduction à la théologie...,* p. 182 et s.
3. *La Nuit obscure,* II, xx, 5, p. 624.

Amos, Osée, Isaïe, puis leurs disciples des siècles suivants, Jérémie, Ézéchiel, avaient trouvé, pour exprimer les relations qui existent entre Dieu et l'humanité créée, entre Dieu et son peuple, qui n'est rien d'autre que l'humanité qui monte vers lui, — l'analogie des amants. Cette analogie a été reprise par celui qui a composé, ou arrangé, les chants rassemblés dans *le Cantique des Cantiques*. Dans la lettre qu'il écrivit aux chrétiens d'Éphèse, Paul parle de l'amour de l'homme et de la femme, de l'union entre l'homme et la femme. Et il ajoute : « Ce *mustérion* est grand. Je le dis par rapport au christ et à l'église. » (Eph 5, 21 s.) Ce *mustérion* est grand : cela signifie que l'amour entre l'homme et la femme, l'union des amants, est une réalité d'une haute signification métaphysique, théologique et mystique. Elle est l'analogue de l'union qui existe entre Dieu venu vivre parmi nous, *Immanu-El,* et l'humanité créée nouvelle par lui, enseignée par lui, informée par lui.

On peut prendre cette analogie de deux manières. Soit, comme les prophètes hébreux, et Paul lui-même, en fonction de la relation qui existe entre Dieu et l'humanité créée et sanctifiée, *qehal Israël,* l'assemblée, l'ensemble, la communauté. Soit dans la relation qui existe entre Dieu et chaque être singulier créé.

La mystique juive a plutôt suivi la première voie. Les mystiques chrétiens ont aussi exploité la seconde.

Ainsi saint Jean de la Croix :

« ... Le mariage spirituel entre l'âme et le Fils de Dieu [...] lequel est beaucoup plus que les fiançailles, parce que c'est une totale transformation en l'Aimé *(una transformacion total en el Amado),* où les deux parties se livrent mutuellement avec une entière possession de chacune, par une union d'amour consommée, comme on le peut en cette vie, en laquelle l'âme est rendue divine *(en que esta el alma hecha divina)* et faite Dieu par participation *(y Dios por participacion)* autant qu'il se peut faire en cette vie. Et ainsi c'est le plus haut état auquel on puisse arriver ici-bas. Car comme en la consommation du mariage charnel, ils sont deux en une chair, suivant ce que dit la sainte Écriture; de même aussi, ce mariage spirituel entre Dieu et l'âme étant consommé, il y a deux natures en un seul esprit *(son dos naturalezas en un espiritu)* et un seul amour de Dieu[1]. »

Dans l'union entre l'être créé et l'Être incréé, il s'opère une communication, qui va d'abord de l'Être incréé à l'être créé. L'Être incréé se communique à l'être créé :

Dans ce « très heureux mariage », « il se fait une telle union des deux natures et une telle communication de la divine à l'humaine, que pas une ne changeant son être, chacune semble être Dieu — encore que pendant cette vie cela ne puisse être parfaitement[2] ».

Mais la communication entre l'Être incréé et l'être créé n'est pas à sens unique. Le don suprême de l'Être incréé à l'être créé, c'est qu'il lui donne de quoi donner à son tour.

Les pères grecs, comme par exemple saint Basile de Césarée, Grégoire de Nazianze, Grégoire de Nysse, appelaient Dieu « la Beauté » subsistante, la Beauté elle-même. C'est en effet l'un des caractères de Dieu, l'une des voies d'accès à la connaissance de Dieu.

Saint Jean de la Croix expose comment la Beauté incréée se communique elle-même dans l'être créé :

« Faisons en sorte que par le moyen de cet exercice d'amour susdit nous venions à nous voir en ta beauté, c'est-à-dire que nous soyons semblables en beauté et que ta beauté soit de telle manière que l'un regardant l'autre, il te ressemble en ta beauté et se voie en ta beauté — ce qui sera me transformant en ta beauté. Et ainsi je te verrai en ta beauté et tu me verras pareillement en ta beauté et tu te verras en moi en ta beauté et je me verrai moi-même en toi en ta beauté. Et ainsi qu'en ta beauté je paraisse un autre toi-même et que tu sembles un autre moi-même en ta beauté ; et que ma beauté soit la tienne et ta beauté soit la mienne ; et je serai toi-même en ta beauté, et tu seras moi-même en ta beauté, parce que ta beauté même sera la mienne.

---

1. *Le Cantique spirituel,* strophe XXVIII, vers 2, trad. cit., p. 858 ; éd. espagnole citée p. 861 ; *cancion 27* dans l'éd. espagnole.
2. *Ibid.,* strophe XXVIII, vers 2, trad. fr., p. 859.

« C'est là l'adoption des enfants de Dieu qui diront avec vérité comme le Fils éternel à son Père dans saint Jean : " Tout ce qui est à moi est à toi, et tout ce qui est à toi est à moi. " (Jn 17, 10.) Lui par essence, étant Fils naturel, et nous par participation, étant fils adoptifs [1]. »

On l'a vu, Jean de la Croix maintient et souligne à chaque occasion les distinctions ontologiques et théologiques qui sont nécessaires pour ne pas sombrer dans la confusion. Ce qui est propre au verbe incarné par nature, à savoir l'essence divine, cela nous est communiqué par grâce, comme cela est communiqué par grâce à la nature humaine du verbe incarné. Nous devenons Dieu, mais par participation, et sans confusion des natures ni des personnes. La distinction est maintenue dans l'union. L'union n'est possible que parce qu'il y a distinction préalable qui subsiste.

Commentant un texte du quatrième évangile, Jn 17, 20 : « ... afin qu'ils soient tous un, comme toi, père, tu es en moi et moi en toi, afin qu'eux aussi soient en nous... Et moi, la gloire que tu m'as donnée, je la leur ai donnée, afin qu'ils soient un comme nous nous sommes un... », Jean de la Croix explique :

« Ce qui est : en leur communiquant le même amour qu'il communique au Fils, encore que ce ne soit pas naturellement *(no naturalmente)* comme à son Fils, mais (...) par unité et transformation d'amour *(por unidad y transformacion de amor)*; comme non plus il ne s'entend pas ici que le Fils dise à son Père que les saints soient une seule chose essentiellement et naturellement *(esencial y naturalmente)* comme le Père et le Fils le sont; mais il veut seulement qu'ils le soient par union d'amour... D'où vient que les âmes possèdent les mêmes biens par participation que Lui (le Fils) par nature. C'est pourquoi elles sont véritablement Dieu par participation *(son dioses por participacion)*, les égaux et les compagnons de Dieu *(iguales y compañeros suyos de Dios)*... Aussi saint Pierre a-t-il dit : " Afin que par (ces dons) vous deveniez participants de la nature divine " (2 Pe 1, 4); ce qui est pour l'âme participer

1. *Le Cantique spirituel,* strophe XXXVI, vers 3, trad. cit., p. 890-891.

à Dieu en opérant en lui et en sa compagnie l'œuvre de la sainte trinité [...], à cause de l'union substantielle entre l'âme et Dieu *(por causa de la union sustancial entre el alma y Dios)* [1]. »

L'union substantielle, c'est la traduction de ce que Cyrille d'Alexandrie appelait *henôsis kath'hypostasin* [2], l'union selon la substance, formule qu'on a rendue en français par : *union hypostatique,* et qui signifie que dans l'unique personne du verbe incarné, la nature humaine et la nature divine sont réellement unies, aussi intimement qu'il est possible, et qu'il ne s'agit pas d'une juxtaposition purement juridique ou morale de deux êtres : Dieu et l'homme.

Le métaphysicien et le théologien Jean de la Croix précise que ce qui appartient par nature au *logos* éternel et incréé de Dieu nous est communiqué par grâce et par don, à la suite d'une transformation de notre être qui est forcément, nous allons le voir, douloureuse.

Seule une métaphysique de la création permet et peut supporter une métaphysique de l'amour, parce que, pour qu'il y ait relation d'amour entre deux êtres, encore faut-il qu'ils existent, et qu'ils soient deux. Si tous les êtres n'en font qu'un, et ne sont que des modes de l'unique Substance, alors il n'est pas question d'envisager quelque amour que ce soit entre les êtres.

On trouve un résumé de la pensée de saint Jean de la Croix dans l'une de ses *Maximes :*

« Ce que Dieu prétend c'est de nous faire dieux par participation, l'étant Lui, par nature — comme le feu convertit toutes choses en feu [3]. »

La vie mystique, c'est l'expérience actuelle d'une transformation par laquelle nous passons de l'existence animale à l'existence spirituelle qui est l'existence divine, de la durée présente, *olam ha ze,* comme disaient les rabbins, à la durée qui vient, *olam ha bah,* laquelle est la vie éternelle, la durée de

---

1. *Le Cantique spirituel,* strophe XXXIX, vers 2, trad. cit., p. 907-908.
2. Cf. *Introduction à la théologie chrétienne,* p. 185 et s.
3. *Maximes,* 156, trad. cit., p. 1319.

Dieu. L'expérience mystique nous donne donc une saisie, incomplète, rudimentaire, inchoative, mais réelle, de la vie éternelle, qui est la participation à la vie de Dieu. C'est-à-dire que le royaume de Dieu est commencé, planté et se développant, dès ici-bas. Il n'est pas rejeté, ou renvoyé, comme le pensera Nietzsche, dans un « arrière-monde », dans un « au-delà » hors de la prise de notre expérience actuelle. Il est au contraire une réalité dès à présent expérimentale. Il est vrai que Nietzsche ne connaissait du christianisme qu'une forme dégénérée, dont la mystique, c'est-à-dire la substance même, avait été évacuée. Il n'avait pas lu les mystiques chrétiens, c'est-à-dire qu'il n'a jamais connu le christianisme sous la forme authentique. Voici ce que dit Jean de la Croix :

« Car encore que ce soit en un degré imparfait, pourtant est-ce en effet un certain goût de la vie éternelle... qui se goûte en cette touche de Dieu... Cette touche est une touche substantielle, c'est à savoir de la substance de Dieu en la substance de l'âme — chose à quoi de nombreux saints sont parvenus en cette vie [1]... »

Ce que les maîtres de l'aventure mystique enseignent, c'est ce qu'ils ont *expérimenté,* en eux-mêmes, et chez les autres, leurs compagnons ou leurs compagnes dans cette aventure et cette transformation. Il n'y a peut-être pas de terme qui revienne plus souvent sous la plume de Thérèse que celui d'*expérience :*

« Je ne dirai rien dont je n'ai point la très grande expérience [2]. » « Je ne dirai rien que je n'ai vu ou expérimenté moi-même [3]. » « Je puis certifier que je ne dirai rien dont je n'aie eu parfois, et même souvent, l'expérience [4]. » « Ce que j'en dis, c'est par expérience [5]. » « L'expérience m'a montré [6]... » « D'aventure, il (= Dieu) leur inflige ces épreuves pour leur

1. *La Vive Flamme d'amour,* strophe III, vers 3, p. 1003-1004.
2. *Autobiographie,* trad. cit., p. 117.
3. *Le Chemin de la perfection,* p. 362.
4. *Relations,* v, p. 860.
5. *Le Chemin de la perfection,* chap. XXXIX, p. 504.
6. *Fondations,* Prologue, p. 609.

donner de l'expérience [1]... » « Je dis ce que je sais par expérience de cet état [2]... »

A la suite de saint Paul, et commentant les textes que nous avons lus, saint Jean de la Croix explique, dans *la Vive Flamme d'amour* que la vie spirituelle parfaite n'est autre chose que la possession de Dieu par union d'amour. En laquelle vie spirituelle « l'âme ne pourra vivre parfaitement si le vieil homme ne meurt aussi parfaitement, ainsi que le dit l'Apôtre ». Et saint Jean de la Croix cite le passage de la lettre de Paul aux Éphésiens que nous avons traduit : « ... déposer le vieil homme qui se corrompt...; être renouvelé dans l'esprit de votre intelligence, et revêtir l'homme nouveau, celui qui est créé selon Dieu... » (Eph 4, 22.)

Saint Jean de la Croix ajoute :

« Or en cette vie nouvelle, c'est-à-dire lorsque l'âme est arrivée à cette perfection d'union à Dieu [...], tous les appétits et toutes les puissances de l'âme — selon leurs inclinations et opérations, qui de soi étaient œuvres de mort et privation de vie spirituelle — se changent en divins.

« Et comme chaque chose qui a vie vit par son opération, ainsi que disent les philosophes, l'âme, ayant toutes ses opérations en Dieu, par suite de l'union qu'elle a avec Dieu, vit d'une vie de Dieu, et par ce moyen, sa mort s'est changée en vie, c'est-à-dire sa vie animale en une vie spirituelle [3]. »

Jean de la Croix explique comment chacune des puissances de l'âme est transformée et divinisée :

« Parce que l'entendement qui, avant cette union, entendait naturellement, — selon la force et la vigueur de la lumière naturelle par la voie des sens du corps, — est désormais mû et informé *(informado)* d'un autre plus haut principe de lumière surnaturelle de Dieu, les sens étant demeurés à part; il est devenu divin *(se ha trocado en divino)*, tellement que par le moyen de l'union son entendement et celui de Dieu ne sont qu'un *(por la union, su entendimiento y el de Dios todo es uno)*.

---

1. *Fondations*, chap. IV, 2, p. 627.
2. *Le Château intérieur*, 4es demeures, chap. I, 6, p. 907.
3. *La Vive Flamme d'amour*, strophe II, vers 6, trad. cit., p. 1013.

« Et la volonté qui, auparavant, aimait d'un amour bas et mort, mue seulement par son affection naturelle, s'est changée en une vie d'amour divin, parce qu'elle aime hautement par affection divine, mue par l'efficace et la vertu du Saint-Esprit, en qui elle mène désormais une vie d'amour : et par le moyen de cette union, la volonté de Dieu et la sienne ne sont qu'une même volonté.

« Et la mémoire qui de soi-même n'apercevait rien, sinon les figures et les fantômes (= les images) des créatures, est changée de telle sorte par le moyen de cette union, qu'elle ne pense qu'aux années de l'éternité, ainsi que dit David.

« Et l'appétit naturel, qui n'avait ni capacité ni force si ce n'est pour savourer le goût des créatures [...] est maintenant changé en goût et saveur de Dieu, étant désormais mû et contenté par un autre principe qui le rend plus vif, c'est à savoir les délices de Dieu, et parce qu'il est désormais uni à Lui, il n'est plus qu'appétit de Dieu.

« Et enfin, tous les mouvements, opérations et inclinations que l'âme avait auparavant, provenant du principe et de l'efficace de sa vie naturelle, sont désormais en cette union changés en mouvements divins, morts à son opération et à son inclination et vivants à Dieu. Parce que l'âme désormais, comme vraie fille de Dieu, est en tout mue par l'Esprit de Dieu, ainsi que disait saint Paul (Rm 8, 14) : " Ceux qui sont agis par l'Esprit de Dieu, ceux-là sont fils de Dieu " [1]. »

« De façon qu'ainsi qu'il a été dit, l'entendement de cette âme est désormais entendement de Dieu et sa volonté est volonté de Dieu; sa mémoire est mémoire de Dieu, et ses délices sont délices de Dieu; et la substance de cette âme, bien qu'elle ne soit pas substance de Dieu, vu qu'elle ne peut pas être convertie en lui quant à la substance, cependant étant unie à Lui de la façon qu'elle est en cet état, et absorbée en Dieu, elle est Dieu par la participation qu'elle a de Dieu : ce qui arrive en cet état parfait de la vie spirituelle, bien que non aussi parfaitement qu'en l'autre vie. Et c'est de cette façon que l'âme est morte à tout ce qu'elle était en soi,

1. *La Vive Flamme d'amour,* strophe II, vers 6, trad. cit., p. 1014.

qui n'était que mort pour elle, et vit à ce que Dieu est en soi [1]. »

Remarquons en passant que chez saint Jean de la Croix comme chez saint Paul, si l'homme est en régime de passage d'une condition animale, qui est première, à une destinée spirituelle, proprement surnaturelle, à laquelle il est invité, et s'il doit opérer une transformation qui le rende apte à cette destinée surnaturelle qui n'est rien d'autre que la participation à la vie divine, jamais Jean de la Croix ne nous dit que l'homme serait *tombé* dans la condition animale, autrement dit que l'itinéraire qui est imposé à l'homme, de la vie animale à la vie spirituelle, résulte d'un *accident* originel. Il ne s'agit donc pas, chez saint Jean de la Croix, d'un *retour*. La perspective de Jean de la Croix comme celle de saint Paul est génétique : l'homme est ainsi créé, animal, et appelé à une destinée surnaturelle, qu'il doit, pour répondre à l'invitation qui lui est adressée, opérer une transformation, consentir à une nouvelle naissance, mourir à l'homme ancien afin de naître à l'homme nouveau.

Il n'y a donc rien de gnostique dans l'itinéraire que nous expose Jean de la Croix.

Soulignons encore une fois que l'itinéraire exposé par Jean de la Croix est un itinéraire *expérimenté*, par lui-même, en lui-même, et par les hommes et les femmes qu'il connaissait, qu'il a eu à diriger dans ce cheminement et ces transformations ou qui, au contraire, ont été ses maîtres. Il ne s'agit donc pas de spéculations en l'air. Il s'agit de la relation d'une expérience de transformation.

Nous sommes donc aux antipodes de la conception de la « justification » élaborée à partir de 1515, date du commentaire de l'*Épitre aux Romains,* par Martin Luther [2].

Ici, avec Jean de la Croix, nous sommes en présence d'une véritable re-création de l'homme, qui fait de lui un homme nouveau. Et de cette re-création, les effets sont empiriquement constatables, vérifiables, par l'homme lui-même, ou la

---

1. *La Vive Flamme d'amour,* strophe 11, vers 6, trad. cit., p. 1015.
2. Cf. *Introduction à la théologie chrétienne,* p. 638 et s.

femme, qui ont consenti et travaillé à cette transformation, et par ceux qui les observent. Ce n'est pas du juridique, c'est de l'ontologique, ou plutôt de l'ontogenèse.

Pour nous qui sommes *avant* ces transformations, ou en deçà, tout ce que raconte saint Jean de la Croix peut paraître de la spéculation pure, tout comme pour la larve qui n'a pas encore entrepris son développement, sa métamorphose, et ses transformations, l'exposé de ces transformations, dans un traité de biologie, paraîtrait spéculation pure.

Toujours dans *la Vive Flamme d'amour,* Jean de la Croix revient sur cette transformation de l'âme en Dieu. « Tout se donne à entendre en cette parole, que l'âme est faite Dieu de Dieu, par participation de Lui-même et de ses attributs... *que el alma esta hecha Dios de Dios por participacion de El y de sus attributos* [1]. »

« Dieu de Dieu... » C'est la formule du concile de Nicée, en 325 : « Nous croyons en un seul Dieu..., et en un seul seigneur, Jésus-Christ, le fils de Dieu, engendré du père, unique engendré, c'est-à-dire de la substance du père, *Dieu* (issu) *de Dieu,* lumière (issue) de lumière, Dieu véritable (issu) de Dieu véritable, engendré, non créé, consubstantiel au père [2]... »

Ce qui est dit du Fils par le concile de Nicée, Jean de la Croix le dit de l'homme transformé et divinisé, mais il ajoute, comme toujours : *par participation.*

Ce que le Fils est par nature, nous sommes appelés, invités à le devenir par grâce, par don, par participation.

Plus loin, dans le même ouvrage, Jean de la Croix explique la différence qu'il y a d'avoir Dieu en soi par grâce seulement et de l'avoir aussi par union. Cette différence, écrit Jean de la Croix, est aussi grande que celle qu'il y a entre les fiançailles et le mariage. Au mariage, il y a la communication et l'union des personnes (*mas en el matrimonio hay también communicacion de las personas y union* [3]).

1. *La Vive Flamme d'amour,* strophe III, vers 2, trad. cit., p. 1025, éd. espagnole citée, p. 933.
2. *Enchiridion Symbolorum,* éd. 32, 125.
3. *La Vive Flamme d'amour,* strophe III, vers 3, trad. fr. cit., p. 1035.

Dans l'union de l'être créé à l'Être incréé, il y a, nous l'avons vu, communication de l'Être incréé à l'être créé. Mais il existe aussi une communication en retour. L'Incréé donne à l'être créé le pouvoir de donner à son tour, et de communiquer.

C'est ce que saint Jean de la Croix explique dans *la Vive Flamme d'amour* :

« L'excellence avec laquelle l'âme rend cette lumière est conforme à l'excellence avec laquelle l'entendement reçoit la sapience divine, étant fait un même entendement avec celui de Dieu, parce qu'il ne la peut rendre d'autre façon que comme il la reçoit. Et l'excellence avec laquelle la volonté donne à Dieu en Dieu la bonté est conforme à l'excellence avec laquelle elle est unie à la même bonté, parce qu'elle ne la reçoit que pour la rendre. De même aussi elle donne lumière et chaleur d'amour conformément à l'excellence au moyen de laquelle, étant unie à la grandeur de Dieu, elle le connaît en elle. Enfin, selon les excellences des autres attributs divins qui sont ici communiqués à l'âme, de force, beauté, justice, etc., telles sont aussi les excellences avec lesquelles le sens, qui en jouit, rend à son Bien-Aimé en son Bien-Aimé la même lumière et la même chaleur qu'il reçoit de lui; parce que, comme elle est ici faite une même chose avec lui, elle est en quelque façon Dieu par participation *(en cierta manera es ella Dios por participacion)* : bien que ce ne soit pas aussi parfaitement qu'en l'autre vie... Et à proportion de cela [...], par le moyen de cette substantielle transformation *(por medio de esta sustancial transformacion)*, elle fait en Dieu, par l'entremise de Dieu, ce que Dieu fait en elle par soi-même, et de la même façon qu'il le fait, parce que comme la volonté de tous deux n'est qu'une, ainsi l'opération de Dieu et la sienne ne sont qu'une. C'est pourquoi, comme Dieu lui donne d'une libre et gracieuse volonté, ainsi fait-elle de son côté, sa volonté étant d'autant plus libre et généreuse qu'elle est plus unie à Dieu : elle donne Dieu à Dieu même en Dieu. Et cela est l'entier et le vrai don que l'âme fait à Dieu [1]. »

---

1. *La Vive Flamme d'amour,* strophe III, vers 6, trad. cit., p. 1076-1077.

Nous l'avons remarqué plusieurs fois au passage : entre la christologie orthodoxe, c'est-à-dire la science élaborée pendant plusieurs siècles et qui a pour objet cet être qui a été appelé le christ, cet être qui est Dieu lui-même (car il n'y a pas d'autre Dieu que Dieu) venu vivre parmi nous, en assumant l'homme dans l'unité d'une personne, — entre la christologie orthodoxe et l'expérience mystique il existe des *correspondances,* ce qui est normal, puisque l'expérience mystique, à savoir l'expérience d'une transformation qui fait passer l'homme de sa condition première, animale, à la condition divine à laquelle il est appelé, cette expérience est l'œuvre même de Dieu, qui s'est uni l'homme dans l'incarnation. Ce qui a été effectué dans le christ, c'est ce qui est en train de s'effectuer dans l'humanité en travail, jusqu'à la fin du monde. De même que le christ est constitué de deux natures, l'humaine assumée et la divine qui assume, de même l'église, qui est l'humanité en régime de transformation et de divinisation, est constituée aussi de deux natures : l'humaine, l'humanité qui la constitue pour une part et Dieu lui-même qui informe, instruit, illumine, transforme cette humanité assumée dans l'église. De même que dans l'unique personne du christ les deux natures, l'humaine et la divine, sont unies sans confusion, sans altération de la nature divine, sans séparation[1], de même dans la transformation qui fait, de l'âme humaine créée, Dieu par participation, l'âme humaine reste créée. La nature humaine n'est pas confondue avec la nature divine. Il n'y a pas fusion, ni encore moins confusion, mais union, ce qui est tout différent.

De même que dans l'unique personne du christ, la conscience humaine, la pensée humaine, l'autonomie humaine, la liberté humaine, la volonté humaine subsistent[2] et coopèrent librement à l'œuvre de la nouvelle création, qu'on appelle aussi la rédemption, — de même l'expérience mystique montre que l'homme reçoit tout de Dieu, mais qu'il doit coopérer librement à l'œuvre de la divinisation qui s'opère en lui[3].

1. *Concile de Chalcédoine,* 451, *Enchiridion Symbolorum,* n° 302.
2. Cf. *Introduction à la théologie chrétienne,* p. 232 et s.
3. *Concile de Trente,* 13 janvier 1547, *Enchiridion Symbolorum,* n° 1525.

L'homme n'est pas passif dans l'œuvre de la nouvelle création. Il ne reçoit pas d'une manière purement passive le don de la divinisation. Il consent, il coopère activement, il porte fruit.

Si cela n'était pas le cas, il ne serait même pas créé, il serait une chose, et non pas un être, car, comme l'ont montré Thomas d'Aquin et Maurice Blondel, des êtres dignes de ce nom doivent avoir la dignité d'être causes (*dignitatem causandi*).

Si l'homme ne coopérait pas activement à l'œuvre de la divinisation en lui, la création serait un leurre, une ombre, une apparence.

C'est-à-dire que l'hérésie luthérienne qui consiste à nier la coopération active de l'homme à l'œuvre de la justification, qui est la sanctification, qui est la divinisation, — est d'abord une hérésie portant sur la création.

C'est aussi une hérésie christologique, puisque cela revient à nier que l'humanité assumée dans le christ, — ou l'homme assumé, comme on voudra dire, — coopère activement, librement, par sa volonté propre, à l'œuvre de la rédemption. C'est justement l'hérésie monothélite (une seule volonté dans le christ).

Il existe donc des correspondances organiques entre la christologie orthodoxe et l'expérience mystique.

C'est ce qu'écrit le « patron » en cette science de la vie mystique, Jean de la Croix, dans *le Cantique spirituel* :

« L'Épouse en ce Cantique dit, qu'étant entrée plus intimement en cette sagesse et en ces travaux, ils (= l'Époux et l'Épouse) passeront à l'intelligence des hauts mystères de Dieu-Homme qui sont remplis d'une plus haute Sagesse et sont plus cachés en Dieu... Les mystères relevés, hauts et profonds en Sagesse de Dieu, qui se trouvent dans le christ : sur l'union hypostatique de la nature humaine avec le Verbe divin et la *correspondance* qu'il y a de l'union des hommes en Dieu à l'union hypostatique [1]... »

Dès le début de notre exposé, nous avons écarté — ou du

---

1. *Le Cantique spirituel,* strophe XXXVII, vers 3, trad. cit., p. 896.

moins tenté d'écarter — quelques malentendus majeurs, et universellement répandus, concernant la mystique chrétienne, quelques contresens gros comme l'Himalaya : la mystique chrétienne, ce n'est pas de l'irrationnel; la mystique chrétienne, ce n'est pas de l'affectif; elle n'a rien à voir avec l'affectivité, ni avec le sentiment; elle ne relève pas de l'ordre de la psychologie, mais d'un autre ordre...

La patronne, avec Jean de la Croix, en ce domaine, Thérèse d'Avila, écrit dans *le Livre des fondations* que la vie mystique, c'est de conformer notre volonté propre à la volonté créatrice de Dieu, c'est-à-dire de réaliser en nous ce que le christ a réalisé en lui : le consentement, la coopération, la symbiose libre de la volonté humaine avec la volonté divine.

« Il est clair que l'extrême perfection ne se trouve pas dans les régals intérieurs, ni dans les grandes extases, ni dans les visions, ni dans l'esprit de prophétie, mais bien dans une telle conformité *(sino en estar nuestra voluntad tan conforme con la de Dios)* de notre volonté avec celle de Dieu qu'il nous suffise de comprendre qu'il veut quelque chose pour que nous le voulions de toutes nos forces [1]... »

« Je vous affirme que le manque de solitude ne vous empêchera jamais d'atteindre à l'union véritable qui consiste à obtenir que ma volonté soit une avec celle de Dieu. Telle est l'union que je désire et que je voudrais pour vous toutes [2]. »

Même doctrine dans *le Château intérieur* :

« Quiconque débute dans l'oraison (n'oubliez pas cela, c'est très important), doit avoir l'unique prétention de peiner, de se déterminer, de se disposer, aussi diligemment que possible, à conformer sa volonté à celle de Dieu; et comme je le dirai plus loin, soyez bien certaines que telle est la plus grande perfection qu'on puisse atteindre dans la voie spirituelle [3]. »

1. *Le Livre des fondations,* chap. V, 10, trad. cit., p. 633.
2. *Ibid.,* chap. V, 13, trad. cit., p. 635.
3. *Le Château intérieur,* 2es demeures, chap. VIII, p. 889.

Comme on le voit, il ne s'agit pas de sentiment, ni d'affectivité, mais d'action...

Même doctrine chez le disciple de Thérèse, Jean de la Croix :

« ... L'état de cette union divine consiste en ce que l'âme tienne sa volonté dans une totale transformation en la volonté de Dieu *(tal transformacion en la voluntad de Dios)*, de manière qu'il n'y ait en elle de chose contraire à la volonté de Dieu, et qu'en tout et par tout son mouvement soit la seule volonté de Dieu. C'est pourquoi nous disons qu'en cet état, de deux volontés il n'en est fait qu'une, c'est à savoir la volonté de Dieu. En sorte que la volonté de Dieu soit aussi la volonté de l'âme [1]. »

Dans une page de *la Montée du Carmel,* Jean de la Croix distingue, en métaphysicien et en théologien, les différentes modalités de la présence de Dieu à l'être créé, aux êtres créés, en particulier à l'homme. Il y a d'abord cette présence, cette immanence, plus intime à l'homme que l'homme ne l'est à lui-même, par la communication de l'être, c'est-à-dire par la création. Cette présence-là est universelle. Dieu est ainsi présent à tous les êtres qu'il crée, puisque tous les êtres sont en lui. Mais il existe une autre présence de Dieu à l'homme et de l'homme à Dieu, qui est l'union de deux libertés, la liberté incréée et créatrice de Dieu, la liberté créée de l'homme. Celle-là implique de la part de l'homme une *conformation* de sa volonté à celle de Dieu :

« Pour entendre quelle est cette union, dont nous traitons, il faut savoir que Dieu demeure en toutes les âmes, fût-ce celle du plus grand pécheur du monde et y est présent en substance *(mora y asiste sustancialmente)*. Et cette manière d'union est toujours entre Dieu et toutes les créatures, selon laquelle il les conserve en leur être; de sorte que si elle venait à leur manquer, elles s'anéantiraient aussitôt et ne seraient plus. Ainsi, quand nous parlerons de l'union de l'âme avec Dieu, ce ne sera pas de cette présence substantielle de Dieu, qui est toujours en toutes les créatures, mais de l'union et de

1. *La Montée du Carmel,* liv. I, chap. XI, trad. cit., p. 99.

la transformation de l'âme en Dieu *(sino de la union y trans-formacion)* qui n'est pas toujours faite, mais qui se fait seulement lorsqu'il y a une ressemblance d'amour; et partant, celle-ci se nommera union de ressemblance, comme l'autre s'appelle union essentielle ou substantielle *(union esencial o sustancial)*. Celle-là est naturelle; celle-ci surnaturelle, qui est quand les deux volontés, à savoir celle de l'âme et celle de Dieu, sont conformes en un *(estan en uno conformes)*, n'y ayant aucune chose en l'une qui répugne à l'autre. Partant quand l'âme ôtera entièrement de soi ce qui répugne et n'est pas conforme à la volonté divine, elle demeurera transformée *(transformada)* en Dieu par amour [1].... »

Pour accéder à cette transformation et conformation, l'être créé doit procéder, comme nous allons le voir plus loin, à une ascèse, condition nécessaire mais non suffisante : « L'âme se doit dénuer de toute créature [...] afin que chassant tout ce qui est dissemblable et non conforme à Dieu, elle vienne à recevoir la ressemblance de Dieu, ne demeurant en elle aucune chose qui ne soit volonté de Dieu et qu'ainsi elle se transforme en lui *(y asi se transforma en Dios)*... Dieu se communique plus à l'âme qui est plus avancée en amour — ce qui consiste à avoir sa volonté plus conforme à celle de Dieu. Et celle qui l'a totalement conforme et semblable est totalement unie et transformée en Dieu surnaturellement *(totalmente esta unida y transformada en Dios sobrenaturalmente)* [2]. »

La christologie orthodoxe avait établi et explicitement précisé, au VIIIe siècle, nous l'avons rappelé, que dans la personne du Christ la volonté humaine n'est pas abolie, ni confondue avec celle de Dieu, mais unie, librement, et consentante.

De même, saint Jean de la Croix nous explique, dans *le Cantique spirituel,* que l'union de notre volonté à celle de Dieu, et la transformation de notre volonté, n'est pas annihilation de notre volonté. La volonté humaine subsiste. Non seulement elle subsiste, mais elle est divinisée, et elle reste humaine dans la divinisation :

---

1. *La Montée du Carmel,* liv. II, chap. v, 3, trad. cit., p. 133-134.
2. *Ibid.,* liv. II, chap. v, 4, p. 134.

« L'âme ne peut arriver à cette égalité et à cette perfection d'amour si ce n'est par une totale transformation de sa volonté avec celle de Dieu, en laquelle les volontés s'unissent de telle sorte que des deux il s'en fait une. Et ainsi il y a égalité d'amour; parce que la volonté de l'âme convertie en celle de Dieu est désormais toute volonté de Dieu; et la volonté de l'âme n'est pas perdue, mais elle est faite volonté de Dieu, et partant l'âme aime Dieu avec la volonté de Dieu, laquelle est aussi sa volonté à elle [1]... »

En quoi et de quelle manière la mystique chrétienne est-elle trinitaire ?

En ce que, d'abord, et bien évidemment, elle est fondée tout entière sur Dieu, Dieu unique, créateur du ciel et de la terre, de toutes les choses visibles et invisibles, connaissable par sa création, connaissable par sa manifestation historique dans l'humanité, en cette partie de l'humanité, en cette zone embryonnaire qui est le peuple hébreu.

Nous reviendrons sur ce point : les mystiques chrétiens attachent la plus haute importance aux enseignements donnés par Dieu à son peuple avant l'incarnation du verbe.

Deuxièmement les mystiques chrétiens s'appuient sur Dieu venu vivre parmi nous, *Immanu-El,* le verbe incarné, pleinement Dieu, pleinement homme, premier-né de cette création nouvelle qui n'aura pas de fin.

Troisièmement, les mystiques chrétiens reçoivent enseignement de l'esprit de Dieu, qui est aussi l'esprit du verbe incarné.

Et ces trois-là, Dieu, le verbe incarné et l'esprit de Dieu, cela ne fait pas trois dieux, mais c'est un seul Dieu, et lorsqu'il opère, c'est une seule opération.

C'est parce qu'ils reconnaissent ces trois-là, qui sont un seul Dieu, que les mystiques chrétiens vivent de la sainte trinité.

---

1. *Le Cantique spirituel,* strophe XXXVIII, vers 2, p. 902.

Saint Jean de la Croix, dans *le Cantique spirituel,* parlant de la communication du saint esprit, écrit :

« Lequel, par une manière d'aspirer par cette sienne aspiration divine, élève hautement l'âme et l'informe *(y la info ma)* afin qu'elle aspire à Dieu la même aspiration d'amour que le Père aspire au Fils et le Fils au Père, qui est le saint Esprit même, lequel ils aspirent en elle en ladite transformation. Car ce ne serait pas une véritable transformation, si l'âme ne s'unissait et ne se transformait aussi au saint Esprit, comme aux deux autres personnes divines... L'âme unie et transformée en Dieu aspire en Dieu, à Dieu, la même aspiration divine que Dieu, étant en elle, aspire en soi-même à elle — ce que saint Paul, selon que je le comprends, a voulu signifier lorsqu'il a dit : Parce que vous êtes fils, Dieu a envoyé l'esprit de son fils dans nos cœurs, criant : *Abba,* c'est-à-dire : Père! (Ga 4, 6.)

« Et il n'y a pas de quoi s'émerveiller que l'âme puisse une chose si haute, car supposé que Dieu lui fasse cette grâce, que d'arriver à être déiforme *(deiforme)* et unie en la très sainte trinité en laquelle elle devient Dieu par participation *(Dios por participacion),* pourquoi est-il incroyable qu'elle opère son œuvre d'entendement, de connaissance et d'amour en la trinité conjointement avec la trinité, comme la trinité même, toutefois par une manière participée, Dieu opérant cela en elle [1] ? »

La différence première, fondamentale, entre les mystiques chrétiens et les mystiques appartenant à la grande tradition moniste, nous l'avons noté au passage et nous y reviendrons, c'est que les mystiques chrétiens reçoivent la doctrine hébraïque et juive de la création, laquelle signifie que Dieu, l'Être absolu, est ontologiquement distinct du monde et que le monde dépend actuellement de lui. Cela, les mystiques appartenant à la tradition moniste, brahmanique ou néoplatonicienne, ne le reconnaissent pas.

La différence entre la mystique chrétienne et la mystique juive, c'est d'abord que la mystique chrétienne reconnaît

---

1. *Le Cantique spirituel,* strophe XXXIX, vers 1, p. 906.

l'incarnation du verbe, c'est-à-dire l'union de l'homme créé à Dieu incréé dans l'unité de la personne de celui qui est appelé « fils » dans le Nouveau Testament. Cela, le judaïsme ne le reçoit pas. C'est de là que procède la divergence entre les deux traditions mystiques qui vont se continuer jusqu'aujourd'hui.

Dès les premières générations chrétiennes, et dans les premiers siècles de notre ère, la pensée chrétienne a dû intégrer dans une synthèse cohérente l'expérience de ceux qui ont accompagné le rabbi galiléen sur les routes, dans les villes, dans les champs, qui l'ont vu mourir, et qui l'ont vu vivant deux ou trois jours après sa mort. Cette expérience était double. Cet être est certainement un homme, à tous égards : anatomiquement, physiologiquement, psychologiquement, etc. Mais il n'est pas seulement un homme. Il est capable d'enseigner une science qui ne peut venir que de Dieu. Il est capable de guérir, ce qui est l'œuvre même de Dieu créateur, seul capable de régénérer ce qui est dégénéré, de recréer ce qui est abîmé. Il est capable de se manifester vivant après la crucifixion.

Dès les toutes premières générations chrétiennes, deux tendances opposées se sont manifestées. Les uns soulignent et accentuent la divinité du christ, au dépens de son humanité. Ils font de cette humanité une pure apparence. D'autres au contraire reconnaissent son humanité, mais font du christ un prophète, éminent, qui reçoit de Dieu, comme les autres prophètes du passé, la science, la sagesse et la puissance. L'orthodoxie, en intégrant l'expérience des premiers témoins, va définir que le christ est pleinement Dieu et pleinement homme, intégral en divinité, le même, et intégral en humanité, un seul être en deux natures, non confondues, non mélangées.

Dans la suite des siècles, et jusqu'aujourd'hui, les erreurs christologiques vont se prolonger et avoir des conséquences dans les domaines variés. Nous l'avons noté en passant : dans le christ de Luther, l'humanité n'opère pas, ne coopère pas. C'est l'hérésie monothélite. Aujourd'hui, en cette fin du xxe siècle, pour beaucoup de prédicateurs catholiques et protestants, le christ est purement homme, il a une fonction d'orientation et de direction purement humaine, réduite de plus en plus à l'ordre moral et politique. La dimension divine, surnaturelle, mystique du christ est oubliée, écartée; oubliée aussi, et écartée, la dimension proprement mystique et surnaturelle de la destinée humaine, à savoir la principale, l'ultime, la finale. Chez beaucoup, en cette fin du XXᵉ siècle, la foi d'une part, la raison et la science de l'autre, se distribuent en deux domaines séparés par une cloison étanche. Le chrétien est double : le savant d'une part, ou le philosophe, — le « croyant » de l'autre : c'est une suite pratique de l'hérésie de Nestorios, le patriarche de Constantinople, qui n'avait pas su associer Dieu et l'homme, dans le christ, d'une manière substantielle [1].

Thérèse d'Avila avait lu des livres de spiritualité dans lesquels on conseillait de s'écarter de la sainte humanité du christ. En somme, on conseillait une spiritualité, une mystique, dans laquelle l'incarnation était sinon écartée du moins considérée, à un certain moment, comme un obstacle.

Thérèse d'Avila, avec son instinct spirituel très sûr et très puissant, après avoir suivi les conseils de ces auteurs, les rejette expressément et à plusieurs reprises.

Voici ce qu'elle en dit, par exemple, dans son autobiographie, qu'elle a rédigée à la demande de ses directeurs :

« Certains livres sur l'oraison... Ils recommandent beaucoup d'éloigner toute imagination corporelle et de s'élever à la contemplation de la Divinité; car bien qu'il s'agisse de l'humanité du Christ, disent-ils, c'est une gêne pour ceux qui sont très avancés, cela les empêche d'atteindre à la contemplation la plus parfaite ... »

La mère fondatrice ajoute :

« A mon avis, ils font erreur... Comme je n'avais pas de maître, je lisais ces livres, à l'aide desquels j'espérais comprendre petit à petit quelque chose (j'ai compris plus tard que si le Seigneur ne m'avait instruite, je n'aurais pas appris

---

1. Nous avons exposé cette affaire dans *Introduction à la théologie chrétienne,* p. 177 et s.

grand-chose dans les livres, je n'ai rien compris jusqu'à ce que Sa Majesté me l'ait fait comprendre par expérience...). »

Thérèse explique comment elle est sortie de son ignorance et ensuite comment elle a compris la gravité de son erreur.

« Telle est, quant à moi, la cause pour laquelle beaucoup d'âmes parvenues à l'oraison d'union ne progressent pas et n'atteignent pas à une plus grande liberté spirituelle...

« J'ai vu par expérience ce que je dirai : mon âme fut au plus mal jusqu'à ce que le Seigneur l'ait éclairée...

« Et je vois clairement, je l'ai toujours vu depuis, que pour contenter Dieu en obtenant de lui de grandes faveurs, il veut que nous tenions tout de cette Humanité sacrée, en qui Sa Majesté a dit mettre toutes ses complaisances. Je l'ai vu très souvent par expérience : le Seigneur me l'a dit. J'ai vu clairement que nous devons entrer par cette porte, si nous voulons que la Majesté souveraine nous révèle de grands secrets. »

Et Thérèse ajoute à l'intention du P. Garcia Toledo, son directeur :

« Que votre Grâce ne cherche donc pas un autre chemin, même si vous êtes au sommet de la contemplation [1]. »

La mère fondatrice y revient, avec énergie, dans le *Château intérieur* :

« Vous allez croire encore que la personne qui jouit de choses aussi hautes ne méditera pas sur les mystères de l'Humanité très sacrée de notre seigneur Jésus-christ, puisque toute entière consacrée à l'amour. J'ai longuement écrit ailleurs sur ce sujet, bien qu'on m'ait opposé que je n'y comprenais rien, que ce sont là des chemins par lesquels notre seigneur nous conduit, et qu'une fois faits les premiers pas, mieux vaut s'occuper des choses de la Divinité et fuir les choses corporelles, on ne me fera pas confesser que tel soit le bon chemin... J'ai vu le démon chercher à me tromper par ce moyen, je suis donc si bien échaudée que malgré que j'en ai parlé souvent, je crois bon de le répéter ici pour que vous vous teniez sur vos gardes ; et considérez que j'ose vous dire de

---

1. *Autobiographie,* chap. XXII, trad. cit., p. 147 et s.

ne pas croire ceux qui parleraient autrement... Nous devons d'autant moins travailler à nous écarter de notre plus grand bien, de notre remède le plus efficace, qui est l'Humanité sacrée de notre seigneur Jésus-christ. J'imagine que ces âmes ne se comportent ainsi que par ignorance, car elles se nuiront et nuiront aux autres. Je leur certifie, du moins, qu'elles ne pénétreront pas dans les deux dernières demeures, car si elles s'éloignent du guide, qui est le bon Jésus, elles n'en trouveront pas le chemin... A la vérité, l'âme que le Seigneur introduit dans la septième demeure (...) se fait une habitude de ne pas s'éloigner du christ notre seigneur, elle s'attache à ses pas selon un mode admirable par lequel, humain et divin à la fois, il demeure en sa compagnie [1]... »

Comme on peut le constater par ces textes, la mystique chrétienne orthodoxe, c'est la christologie orthodoxe continuée.

Les mystiques chrétiens orthodoxes sont tous d'accord sur ce point : « ... pour la connaissance du mystère de Dieu, le christ, en qui sont tous les trésors de la sagesse et de la science, cachés. » (Col 2, 3.)

Saint Jean de la Croix commente ce texte de saint Paul :

« Chaque mystère, de ceux qu'il y a dans le christ, est très profond en sagesse... Tellement que quelques mystères et merveilles que les saints docteurs aient découverts et que les saintes âmes aient entendus en l'état de cette vie, le principa leur est resté à dire et encore à connaître. De façon qu'il y a beaucoup à approfondir dans le christ parce qu'il est comme une mine fertile qui a de nombreuses concavités et trésors qu'on fouille incessamment sans les pouvoir épuiser. Tant s'en faut, en chaque concavité on y va découvrant de nouvelles veines aux richesses nouvelles deçà et delà. C'est pourquoi saint Paul a dit du christ lui-même : " en qui sont tous les trésors de la sagesse et de la connaissance, cachés... ". La connaissance des mystères du christ, laquelle est la plus haute sagesse où l'on puisse atteindre en cette vie [2]. »

---

1. *Le Château intérieur,* 6es demeures, chap. VII, trad. cit., p. 987 et s.
2. *Le Cantique spirituel,* strophe XXXVII, vers 3, trad. cit., p. 897.

Voilà en quoi la mystique chrétienne est proprement chrétienne ou christocentrique : elle est concentrée sur, enracinée ou greffée dans le christ, c'est-à-dire Dieu lui-même s'unissant l'homme pour le diviniser, avec sa coopération libre et active, avec sa conscience humaine, sa pensée humaine, sa raison humaine, sa volonté humaine. La mystique chrétienne orthodoxe, c'est la christologie en train d'opérer dans l'humanité.

Comme le dit le verbe incarné lui-même : « Mon père jusqu'à maintenant est en train d'opérer, et moi aussi j'opère. » (Jn 5, 17.)

Après avoir essayé de donner une idée de ce qu'est la gloire, le terme ultime de la création, sa finalité, selon les mystiques chrétiens, nous abordons maintenant l'étude de la signification de la mort.

4

LA MORT ET LA SIGNIFICATION
DE L'ASCÈSE

Dans le langage de la philosophie contemporaine, qu'elle dépende de Marx, de Nietzsche, de Freud, de Heidegger ou du bon vieux matérialisme scientiste de grand-papa, le terme de « mort » a une signification et une seule. C'est la mort que nous appellerons empirique, celle que constate le médecin légiste, s'il est là, celle dont nos contemporains ont si peur et qu'ils fuient de toutes les manières.

Cette mort-là, la seule qu'ils connaissent, nos philosophes aujourd'hui régnants l'identifient purement et simplement au néant ou à l'annihilation de l'être humain. Cela leur paraît aller de soi, cela leur paraît évident. Ils écrivent donc de gros livres consacrés à la mort en partant de ce présupposé.

Or il suffit de réfléchir un instant pour constater que ce présupposé est totalement arbitraire et lorsque nos philosophes transforment ce présupposé arbitraire en thèse, en conclusion, ou en principe, ils commettent un énorme paralogisme.

Pour que le lecteur qui n'est pas du métier ne s'en laisse pas imposer par les autorités régnantes, il suffit de lui faire observer qu'en ce qui concerne la mort, la question de savoir ce que c'est, nous n'en savons pas plus, en cette fin du xxe siècle, philosophiquement parlant, que notre ancêtre l'australopithèque qui vivait il y a quelques millions d'années, si toutefois l'australopithèque fait bien partie de nos ancêtres. Nos connaissances concernant la mort se ramènent strictement à zéro, le zéro absolu, si l'on s'en tient à l'analyse philosophique, c'est-à-dire à l'analyse rationnelle fondée sur l'expérience présente, pour la raison toute simple que notre expérience présente est en deçà de la mort, et que personne ne revient nous dire ce qui se passe de l'autre côté, si autre côté il y a.

Mais, dira-t-on, et le christ ? N'est-il pas revenu de l'autre côté, n'est-il pas revenu de la mort ? Ne s'est-il pas manifesté vivant ?

Le christ s'est manifesté vivant deux ou trois jours après sa mort, aux Douze, puis à cinq cents frères, puis à Paul et à d'autres encore. Il a manifesté empiriquement qu'il était vivant et qu'en conséquence, pour lui, la mort n'est pas égale à l'annihilation. Mais si nous faisons appel pour traiter le problème de la mort à l'expérience vécue par le christ, à l'expérience que constitue, pour ceux qui en ont été témoins, sa manifestation vivante, alors nous faisons appel à d'autres sources de connaissance que celles qui sont communément ou habituellement considérées comme bases d'une analyse philosophique. Nous ne faisons plus appel à une expérience constante, universelle, renouvelable, mais à une expérience singulière, unique dans l'histoire. Nous ne voyons aucun inconvénient, pour notre part, à ce qu'on fasse appel à cette expérience singulière pour traiter le problème de la mort, bien au contraire, mais nous sortons alors de ce qu'on a coutume, à tort ou à raison, d'appeler une analyse philosophique. Plus exactement il faudrait dire qu'au lieu de raisonner sur notre expérience commune, ordinaire, nous raisonnons alors sur une expérience extraordinaire, exceptionnelle. Il n'y a d'ailleurs aucune raison pour ne pas raisonner sur un fait singulier et sur une expérience singulière s'ils sont bien établis.

Pour en revenir à nos philosophes, aujourd'hui régnants, qui, eux, se refusent absolument à considérer cette expérience exceptionnelle et singulière qui est celle de la résurrection du christ, il reste qu'ils n'ont aucune source d'information concernant la question de savoir ce que c'est que la mort. En conséquence, lorsqu'ils écrivent ou enseignent, comme allant de soi, que la mort c'est pour la personne humaine le néant, ils abusent de la simplicité de leurs lecteurs, ou de leurs étudiants, ou de leurs écoliers. Ils abusent de leur célébrité ou de leurs titres. Ils cherchent à en faire accroire. Ils veulent en imposer.

Car l'analyse rationnelle de notre expérience commune, que nous dit-elle ?

Notre ami, celui que nous aimions, était là, sur son lit. Il agonisait. A un moment donné, en un instant, il a cessé d'*être là*. Il ne restait sur le lit que la matière qu'il avait informée, organisée, pendant des années, ce qu'on appelle le cadavre. Cette matière composée commençait aussitôt à se décomposer parce que celui qui l'unifiait, l'organisait, l'informait, n'est plus là.

Voilà ce que nous dit l'analyse de notre expérience commune. C'est tout.

Déduire ou inférer, de ce que notre ami n'est plus là, qu'il est annihilé, c'est aller un peu vite en besogne. C'est bousculer les règles du raisonnement. C'est poser en principe, secrètement, le postulat suivant : tout ce qui sort du champ de notre expérience actuelle est annihilé. Ou encore, en plus simple : n'existe que ce que je vois.

C'est un peu court, du point de vue logique. Et transformer ce paralogisme monumental en vérité métaphysique, et l'enseigner comme allant de soi, c'est vraiment se moquer du petit peuple.

D'un point de vue scientifique et expérimental, la mort d'un organisme vivant quelconque, c'est la cessation de l'information. L'organisme cesse d'exister parce que l'information qui le constitue en tant qu'organisme cesse. Il n'est pas exact de dire que le corps ou l'organisme se décompose. Non, à la mort, le corps ou l'organisme cesse d'*être*. Ce qui se décompose, ce sont les tissus, les organes, les cellules, les molécules géantes. Toute la question est de savoir si *ce qui* informe la matière multiple pour constituer un organisme vivant cesse d'être par le fait même qu'il cesse d'informer. Toute la question est donc de savoir si le x qui informe (qu'on l'appelle forme substantielle, ou âme, ou comme on voudra, cela n'a aucune importance) est substance, ou non. Si l'âme ou le psychisme était le *résultat* de la composition, alors la cessation de la composition ou organisation serait sans doute cessation d'existence pour l'âme. Mais si l'âme est *ce qui* compose ou informe la matière multiple pour constituer un corps organisé, alors on ne voit pas pourquoi la cessation de la fonction organisatrice serait pour l'âme cessation d'existence.

Pouvons-nous aller plus loin, du point de vue philosophique, c'est-à-dire en nous en tenant à l'analyse de l'expérience commune ?

Si l'on poursuit l'analyse, si l'on tente une analyse générale de ce qui est donné dans notre expérience, on parvient au résultat que l'athéisme est impensable et impossible, c'est-à-dire qu'il n'est pas possible de penser que l'Univers soit un système qui se suffise.

A partir de là, on peut inférer raisonnablement que Celui qui compose l'Univers depuis plusieurs milliards d'années et qui a abouti à la constitution des personnes humaines capables de pensée, ne va pas faire tomber dans le néant ces êtres capables de conscience et de réflexion.

C'est une inférence qui paraît probable. Mais ce n'est pas une démonstration, au sens rigoureux du terme.

Précisons ce point.

Nous ne connaissons pas de démonstration qui porte sur l'avenir. L'avenir est l'objet d'une espérance, qui peut être raisonnable, mais non d'une démonstration certaine.

On peut prévoir que le soleil se lèvera demain, mais cette prédiction n'est pas une démonstration certaine ni nécessaire. Un jour viendra où le soleil ne se lèvera plus. Lorsqu'il aura fini de transformer son stock d'hydrogène en hélium, lorsqu'il sera une naine blanche, une étoile morte, il ne se lèvera plus pour les vivants de notre planète, et d'ailleurs il n'y aura plus alors, depuis longtemps, aucun vivant sur notre planète.

Tous les processus d'usure sont prévisibles quant à leur fin ou leur terme. Tout ce qui relève du second principe de la thermodynamique est prévisible. Cette petite fille qui vient de naître, nous pouvons prévoir avec certitude qu'un jour — si elle ne meurt pas avant — elle sera une vieille dame ridée comme une pomme.

Mais on ne peut pas prévoir les processus qui relèvent de la croissance de l'information. Un micro-organisme, même génial et instruit, il y a un ou deux milliards d'années, ne pouvait pas prévoir l'invention des messages génétiques complexes qui allaient être inventés plus tard, — sauf s'il les inventait lui-même, s'il les créait. *Prévoir l'avenir,* du point de vue de la croissance de l'information, *c'est le créer.* Seul le Créateur peut prévoir l'avenir, c'est-à-dire ce qu'il va créer.

L'avenir de la création ne peut pas être *déduit* à partir de son passé, tout simplement parce qu'il y a *plus* d'information dans l'avenir que dans le passé, et que le plus ne peut pas être déduit d'une manière nécessaire à partir du moins, de même que l'être ne peut pas être déduit à partir du néant. Le nouveau, le radicalement nouveau, ne peut pas être déduit de l'ancien. Dire que l'avenir peut être prévu et déduit à partir du passé dans la nature, c'est dire qu'il n'y a rien de nouveau dans la nature, ce qui est faux. Au cours du temps, tout est nouveau, et c'est précisément en cela que réside la temporalité.

Sur ce point, les analyses de Bergson nous semblent décisives.

De toute manière, prédire l'avenir est une chose. Démontrer en est une autre. Démontrer, c'est par un raisonnement nécessaire et contraignant pour toute intelligence quelle qu'elle soit, établir une conséquence à partir d'un principe posé au départ.

Nous ne savons pas démontrer l'avenir à partir du présent, tout simplement parce que l'avenir n'est pas contenu d'une manière nécessaire dans le présent.

Dans le système de référence de l'anthropologie platonicienne, l'âme est immortelle de plein droit, parce qu'elle est divine par nature et originellement. On peut donc démontrer l'immortalité de l'âme en partant de son essence ou de sa nature.

Mais dans le système de référence de l'anthropologie juive

et chrétienne, l'âme humaine n'est pas divine par nature ni originellement. Elle est appelée, invitée, à la divinisation par grâce. Je ne peux donc pas, *en m'appuyant sur l'âme considérée en elle-même* et *toute seule*, établir d'une manière nécessaire et contraignante, — c'est-à-dire démontrer, — qu'elle subsistera dans mille ans, lorsqu'elle aura cessé d'informer une matière pour constituer un organisme vivant. Car l'âme humaine créée reçoit l'exister aujourd'hui. Elle n'existe pas par nature ou par essence, car si elle existait par nature ou par essence, elle existerait nécessairement et donc depuis toujours, ce qui n'est pas le cas. Je ne peux pas appliquer à l'âme humaine l'argument ontologique, qui consisterait à dire que l'essence de l'âme considérée en elle-même implique d'une manière nécessaire son existence.

Dans le système de référence de l'anthropologie hébraïque juive et chrétienne, on peut établir philosophiquement que l'âme humaine est créée, constituée pour la vie éternelle, préadaptée par nature à recevoir, par grâce, le don de la vie éternelle.

Mais on ne peut pas, pensons-nous, établir d'une manière nécessaire, c'est-à-dire démontrer, en s'appuyant sur l'âme toute seule, considérée isolément, qu'elle subsistera lorsqu'elle aura cessé d'informer une matière, car cela serait supposer que l'existence lui appartient nécessairement, ce qui serait vrai si le monisme spinoziste était vrai. Alors, si l'âme est naturellement divine, partie de l'essence divine, alors seulement on peut inférer : nous sentons et nous expérimentons que nous sommes éternels.

Mais non pas dans une métaphysique de la création, selon laquelle l'âme humaine n'est pas divine par nature ni par essence.

Dans le système de référence de la métaphysique chrétienne, nous attendons de Dieu le don de l'être, de la vie, de la vie éternelle.

C'est une espérance raisonnable, qui se fonde en Dieu le créateur, raisonnable parce que nous savons que, comme le dit l'Écriture, Dieu est fidèle. Mais ce n'est pas une démonstration qui s'appuie sur l'âme seule. Nous devons faire un détour par Dieu connu pour attendre et espérer la vie éternelle. C'est en lui que nous espérons la vie éternelle, et non pas en nous-mêmes.

La subsistance de l'âme lorsqu'elle aura cessé d'informer une matière avec laquelle elle constituait un corps organisé vivant, est une condition nécessaire mais non suffisante, du point de vue de la théologie chrétienne.

Pour que l'âme humaine créée puisse participer à la vie personnelle de Dieu, encore faut-il qu'elle subsiste.

Mais il ne suffit pas qu'elle subsiste. Car sa destinée, ce à quoi elle est invitée, ce n'est pas seulement de subsister, ou de continuer à être. Nous l'avons vu : elle est appelée à une naissance nouvelle, à une naissance qui la rende capable de prendre part personnellement à la vie de Dieu. L'unique destinée de l'homme créé est surnaturelle.

Une analyse métaphysique est donc nécessaire pour établir que l'âme humaine créée peut subsister, sans informer une matière. Mais elle n'est pas suffisante du point de vue de la théologie chrétienne, car l'âme humaine créée est appelée à bien autre chose, nous l'avons vu, et à bien plus, que simplement subsister.

L'âme humaine n'a pas à retourner à une condition antérieure qui n'a jamais été la sienne : c'est là la différence entre la perspective chrétienne et la perspective platonicienne.

La question n'est pas simplement de savoir si l'âme subsiste après la mort, si elle continue d'exister : c'est là la différence d'avec le spiritisme.

Dans la langue du christianisme, le terme de mort n'a pas une seule signification, mais plusieurs, au moins trois.

Il y a d'abord la mort empirique, celle, la seule, que connaissent nos contemporains. Les philosophes d'aujourd'hui estiment que cette mort est égale au néant, et en conséquence ils professent que la mort empirique est pour l'homme le mal absolu, le pire des maux. Ils font de fort beaux développements sur ce thème tragique.

Étant donné qu'ils ont omis d'établir la vérité du principe dont ils partent, à savoir que la mort empirique est égale au néant, leurs développements et variations, aussi brillants soient-ils, ne relèvent pas de l'analyse philosophique.

Pour le christianisme, la mort empirique, celle que constate le médecin légiste lorsqu'il y en a un, n'est pas le mal absolu, loin de là. Elle n'est pas une tragédie, et elle ne prête pas aux développements pathétiques. Elle est une transformation, une phase dans un processus, un point c'est tout. Elle n'est aucunement égale ni identifiable au néant, d'ailleurs nous n'avons aucune idée du néant, ni du néant pris absolument, la négation de tout être quel qu'il soit, — ni de notre propre annihilation. Notre propre annihilation est pour nous totalement impensable, dès lors que nous sommes. Nous sommes incapables de nous penser nous-mêmes non-existants.

Voici comment s'exprime saint Paul au sujet de la mort que nous avons appelée, par convention, empirique :

« Personne, parmi nous, ne vit pour soi seul, et personne ne meurt pour soi. Soit donc que nous vivions, nous vivons pour le seigneur (Jésus); soit que nous mourions, c'est pour le seigneur que nous mourons. Soit donc que nous vivions, soit que nous mourions, nous *sommes* au seigneur. C'est pour cela que le christ est mort et qu'il est revenu à la vie, afin d'être le seigneur des morts et des vivants. » (Rm 14, 7.)

Comme on le voit, dans la pensée de saint Paul, la mort n'exclut pas l'exister. Mort n'est pas synonyme de non-être.

Dans la lettre qu'il écrivit aux chrétiens de Philippes, Paul disait :

« Car pour moi, vivre, c'est le christ, et mourir est un avantage. S'il me faut vivre dans l'existence physique actuelle *(en sarki)*, c'est pour porter fruit. Qu'est-ce que je choisirai ? Je ne sais pas. Je suis pris entre deux choses : Je désire être résolu et être avec le christ; c'est de beaucoup ce qu'il y a de mieux. Mais rester dans l'existence physique actuelle *(en sarki)*, c'est davantage nécessaire, à cause de vous... » (Phi 1, 21.)

Paul pense que, dès qu'il sera « résolu » ou « délié », par

la mort que nous avons appelée empirique, il *sera* avec le christ. Et c'est de beaucoup ce qu'il y a de mieux.

De même, lorsqu'il agonisait sur la croix, le christ répondit à celui qui, crucifié à côté de lui, lui disait : « Ieschoua, souviens-toi de moi lorsque tu entreras dans ton royaume », — il lui répondit : « Vrai, véritablement *(amèn)* je te le dis, aujourd'hui tu *seras* avec moi dans le paradis. » (Lc 23, 42.)

Pour le fondateur du christianisme non plus la mort empirique n'était pas égale au néant ou à l'annihilation.

Dans un texte que nous avons déjà rencontré, de la seconde lettre aux chrétiens de Corinthe, Paul exprime sa pensée en ce qui concerne le vieillissement, la mort, et la vie intérieure :

« Si même notre homme extérieur se corrompt, mais notre homme intérieur se renouvelle de jour en jour... » (2 Co 4, 16.)

En langage moderne : si le second principe de la thermodynamique s'applique à l'organisme que nous sommes (usure et vieillissement irréversible), quelque chose en nous, que Paul appelle « l'homme intérieur », non seulement ne vieillit pas, mais est en régime de création continuée, d'innovation constante, de rajeunissement, d'évolution créatrice (croissance de l'information).

En sorte qu'on aboutit à la mort par les deux processus : par la croissance de l'entropie et par la croissance de l'information ou de la vie. Non seulement par vieillissement mais aussi par désir et maturation.

La doctrine de Jésus et de Paul, c'est celle de tous les grands docteurs chrétiens, depuis les origines. C'est la pensée même de l'église universelle. Lorsque l'âme cesse d'informer une matière pour constituer un corps organisé vivant, elle ne cesse pas d'exister pour autant.

Saint Jean de la Croix est sensible surtout à l'aspect positif de la mort, à l'aspect maturation. La mort physique, empirique est un moment important dans le développement de l'être, le moment d'une éclosion et d'une rencontre, si l'être est capable d'affronter cette rencontre.

Voici par exemple comment saint Jean de la Croix s'exprime dans *le Cantique spirituel :*

« La mort ne peut point être amère à l'âme qui aime, puisqu'elle y trouve toutes ses douceurs et délectations d'amour; sa mémoire ne lui peut point causer des tristesses, puisqu'en elle elle trouve sa liesse; elle ne lui peut point être fâcheuse ni pénible, puisqu'elle y trouve la fin de tous ses ennuis et de tous ses travaux et le commencement de tout son bien. Elle la tient pour amie et épouse, et avec sa mémoire elle se réjouit au jour de ses épousailles et de ses noces, et désire plus ce jour et cette heure en laquelle sa mort doit arriver, que les rois de la terre ne désirent leurs royaumes et principautés...

« Donc l'âme a raison de s'enhardir à dire sans crainte :

Que la vision de ta beauté me tue !

« Puisqu'elle sait qu'au même temps qu'elle la verrait, elle serait ravie par la beauté même et absorbée en elle, et transformée en elle, et serait belle comme la beauté même, remplie et enrichie comme elle...

« Aussi l'âme ne craint-elle pas de mourir, quand elle aime; au contraire, elle le désire [1]... »

La mort physique, empirique, pour Jean de la Croix, c'est simplement le dernier obstacle qui doit être franchi pour que l'être créé accède à ce à quoi il est invité : la vue face à face de l'Incréé. C'est l'un des obstacles. Nous allons voir plus loin que d'autres obstacles doivent être franchis, beaucoup plus difficiles : ce sont les autres sens du mot « mort » dans le langage chrétien. Mais lorsque les précédents obstacles ont été franchis, lorsque l'homme est renouvelé, la mort empirique n'est plus qu'un voile très léger et très fin qui est déchiré sans difficulté. C'est ce qu'expose Jean de la Croix dans *la Vive Flamme d'amour* :

« L'âme se sentant déjà tout enflammée en l'union divine... Elle est transformée en Dieu *(transformada en Dios)*... Elle est si proche de sa félicité, que rien ne la sépare de lui sinon une toile fort mince et déliée *(una leve tela)*. Et comme elle voit que cette délicate flamme d'amour qui brûle en elle, chaque fois qu'elle l'attaque et l'investit, semble la glorifier...

---

1. *Le Cantique spirituel,* strophe XI, vers 2, p. 754.

— de telle sorte que chaque fois qu'elle l'absorbe et l'assaille, il semble qu'elle lui va donner aussitôt la vie éternelle et rompre la toile de sa vie mortelle, et qu'il ne s'en faut que de bien peu, mais qu'à cause de ce peu, elle n'arrive point à être essentiellement glorifiée, — pour cette cause, elle dit avec un grand désir à cette flamme, qui n'est autre que le saint Esprit, que désormais elle rompe sa vie mortelle par ce doux rencontre, au moyen duquel il lui communique tout à fait et en perfection ce qu'il semble qu'il lui va communiquer chaque fois qu'il la rencontre, c'est à savoir, qu'il la glorifie entièrement et parfaitement [1]. »

Dans une page ultérieure de *la Vive Flamme d'amour,* Jean de la Croix commente un vers du poème qu'il a composé :

Brise la toile de ce rencontre heureux.

« Laquelle toile, écrit Jean de la Croix, est celle qui empêche ce grand affaire. Car c'est une chose aisée d'arriver à Dieu après que les empêchements sont ôtés et que les toiles qui séparent l'âme d'avec Dieu et empêchent leur union et conjonction sont brisées [2]. »

Jean de la Croix explique qu'il existe trois toiles qui peuvent empêcher cette conjonction, lesquelles doivent être brisées afin que l'âme se joigne avec Dieu et le possède parfaitement. Nous reviendrons plus loin, dans notre développement consacré à l'ascèse, sur les deux premières. La troisième toile, c'est l'existence empirique, animale. Lorsque les deux premières toiles sont brisées, il ne reste que la troisième toile. « Laquelle, écrit Jean de la Croix, comme elle est déjà si subtile et déliée et spiritualisée par le moyen de cette union à Dieu, de là vient que la flamme ne l'attaque pas rigoureusement comme les deux autres ; mais plutôt elle l'attaque savoureusement et doucement. Aussi l'âme l'appelle ici un *rencontre* heureux, lequel est d'autant plus heureux et savoureux que plus il lui semble qu'il s'en va briser la toile de sa vie [3]. »

1. *La Vive Flamme d'amour,* strophe I, vers I, p. 958.
2. *Ibid.,* strophe I, vers 7, p. 981.
3. *Ibid.,* p. 982.

Il y a plusieurs manières de mourir. On peut subir passivement la mort empirique, la subir avec horreur. Dans la perspective des mystiques chrétiens, elle n'est pas subie passivement mais désirée activement ; elle résulte d'une certaine maturation de l'être — tout comme une métamorphose dans l'ordre zoologique ; elle est l'effet d'un désir qui brise le dernier obstacle, tout comme l'enfant fait un effort pour sortir de la matrice :

« D'où vient qu'il faut noter ceci : bien que la condition de la mort en ce qui est de la nature, soit semblable en les âmes qui arrivent à cet état de perfection et en les autres, toutefois il y a beaucoup de différence en ce qui touche les causes de la mort et la façon de mourir. Parce que, là où les autres meurent d'une mort qui leur est causée ou par quelque maladie ou par l'âge, celles-ci, encore qu'elles meurent de maladie ou de vieillesse, rien ne leur emporte l'âme sinon quelque impétuosité, quelque rencontre d'amour beaucoup plus relevé que les précédents ; plus puissant et plus vaillant, puisqu'il peut briser la toile et enlever le joyau de l'âme. Et par ainsi, pour de telles âmes, la mort est plus pleine de douceur et suavité que la vie spirituelle menée jusqu'alors ; puisque à l'heure de la mort elles ont de plus grandes impétuosités et des rencontres d'amour plus savoureux, étant en cela semblables aux cygnes, qui chantent plus doucement, étant proches de leur mort... Parce que c'est ici que toutes les richesses de l'âme viennent se rassembler en un et les ruisseaux de son amour se vont rendre à la mer, où étant, ils se dilatent et y sont tellement grossis qu'ils semblent déjà être convertis en mers [1]... »

Ce que disent les mystiques chrétiens de la mort physique ou empirique, la manière dont ils comprennent l'acte de mourir, n'est pas seulement spéculatif. Cela a été vécu. Il suffit de lire dans les biographies sérieuses la manière dont de fait ils sont morts. Ils meurent comme on va au mariage, lorsqu'on aime. Ainsi Thérèse d'Avila raconte comment est mort un ascète et un saint qu'elle connaissait bien, Pierre d'Alcan-

---

1. *La Vive Flamme d'amour,* strophe 1, vers 6, p. 982.

tara : « Quand il vit que c'était sa fin, il dit le psaume : *laetatus sum in his quae dicta sunt mihi...,* et, à genoux, il mourut[1]. »

Le psaume en question, c'est le psaume 122 :

« Je me suis réjoui, quand on m'a dit : allons à la maison de Yahweh... »

Mais il existe un deuxième sens du mot mort dans la pensée chrétienne.

Lorsque Paul écrit aux chrétiens d'Éphèse : « Et vous qui étiez morts *(nekrous)* par vos péchés... dans lesquels vous marchiez alors, conformément à la durée de ce monde... Dieu qui est riche en compassion, à cause de l'amour multiple dont il nous a aimés, alors que nous étions morts *(nekrous)*..., il nous a co-vivifiés avec le christ... » (Éph 2, 1 s.), — il est bien évident que dans ce texte Paul ne prétend pas que les habitants d'Éphèse étaient morts autrefois, au sens où le médecin légiste entend aujourd'hui la mort. Il l'entend dans un autre sens, qui est spirituel, ontologique, mais non empirique.

De même lorsque Paul écrit aux Colossiens : « Vous qui étiez morts *(nekrous)*..., il vous a co-vivifiés avec lui (le christ)... » (Col 2, 13), il ne s'agit pas de la mort au sens empirique du terme.

Il s'agit ici de cette mort spirituelle, ontologique, qui précède la nouvelle naissance, mort qui aurait pu être définitive sans cette nouvelle naissance.

De même, lorsque l'auteur de l'Apocalypse parle de la « deuxième mort » (Ap 2, 11 ; *(ho deuteros thanatos)* 20, 6; 20, 14; 21, 8), il s'agit d'une mort comprise en un sens qui semble échapper aux philosophes actuellement régnants : il s'agit de la perdition définitive. Cela, aux yeux du christianisme, c'est la catastrophe irrémédiable, le mal absolu, mais ce n'est pas la mort empirique.

---

1. Thérèse d'Avila, *Autobiographie,* chap. XXVII, trad. cit., p. 192.

Enfin il existe une troisième signification du mot mort dans le langage chrétien, que nous allons scruter maintenant. De cette troisième signification non plus il ne semble pas y avoir de trace dans la pensée philosophique contemporaine. Il s'agit de la mort consentie librement par laquelle l'homme naît à l'humanité nouvelle en se dépouillant de l'homme ancien, cette mort qui est requise pour que s'opère ce que Paul, nous l'avons vu, appelle la métamorphose.

Toute la doctrine chrétienne de l'ascèse se trouve contenue dans cette conception de la mort.

La divinisation réelle, non métaphorique, de l'être créé capable de recevoir ce don, c'est le but ultime de la création, sa finalité. Reste à savoir maintenant quelles sont les conditions requises pour que l'être appelé à une telle destinée puisse la réaliser.

Le problème posé est un problème métaphysique, un problème d'ontologie fondamentale, ou plutôt un problème d'ontogenèse. Il a été scruté depuis près de vingt siècles par les théologiens, par les mystiques et par les métaphysiciens chrétiens.

Essayons de le résumer sous une forme simple.

Le but que se propose, nous l'avons vu sous la plume de Jean de la Croix lui-même, l'Unique absolu, c'est de créer des êtres, non pas pour les laisser hors de lui, dans une condition servile, soumise, ou infantile, — mais pour constituer d'autres Lui-même, pour que nous devenions, comme ose le dire Jean de la Croix, des compagnons de Dieu. Le terme de la création, nous l'avons vu, c'est l'union, sans confusion, libre, des êtres créés capables de cette union et de l'Incréé. C'est dans la personne du Verbe incarné que cette opération s'effectue et elle se continue dans les saints, qui sont conformes, intérieurement, au Verbe incarné.

C'est-à-dire que le terme de la création, le but de l'Univers entier, c'est la vie mystique.

Ce dessein créateur et divinisateur ne peut pas se réaliser de n'importe quelle manière. Il requiert certaines conditions. Il faut que l'être créé dépasse petit à petit la phase de la passivité, la phase où l'on reçoit. Il faut que l'être créé devienne petit à petit capable de donner à son tour de lui-même. Pour que l'être créé soit véritablement un être, et non pas une chose, il faut qu'il devienne à son tour capable d'action, capable d'efficace causale. Il faut qu'il accède, comme dit saint Thomas, à la dignité d'être cause. Il faut qu'il consente au don créateur et que petit à petit il y coopère activement. Il faut qu'il porte fruit, de lui-même, non pas seul, mais cependant avec sa liberté propre et son travail propre. Il faut qu'il consente au don de la divinisation, et qu'il y coopère activement, par un authentique travail.

Nous sommes dans une perspective génétique. Il s'agit de conduire à son achèvement naturel et surnaturel un être qui, au départ, est inachevé, et qui ne peut pas s'achever s'il se contente de recevoir passivement le don de la création et le don de la divinisation.

Car si cela était, s'il se contentait de recevoir d'une manière purement passive, il ne deviendrait jamais ce qu'il est invité à devenir, à savoir un être à l'image et à la ressemblance de Dieu, l'Unique, le Créateur, celui qui donne.

Si l'homme ne parvient pas à donner à son tour quelque chose de lui-même il ne sera jamais à l'image et à la ressemblance de Dieu.

Le problème métaphysique posé est donc le suivant : comment faire passer un être de la passivité, de la phase où il se contente de recevoir, à l'activité, à la phase où il devient capable librement de donner, de coopérer, de porter fruit ?

C'est un problème d'ontologie génétique, qui n'a de signification que dans une métaphysique de la création. C'est le problème suprême de la création. Le plus difficile, ce n'est pas de créer des protons. Le plus difficile, c'est de créer un esprit qui librement consente au don de la création et qui porte fruit librement.

L'achèvement, le but, le terme de la création, n'est donc pas possible sans le consentement libre d'un être créé. Le dessein créateur et divinisateur implique donc un risque, une possibilité d'échec.

C'est cette possibilité qui se trouve notée dans la dogmatique chrétienne sous le terme d'enfer.

C'est dans ce processus ontogénétique que l'ascèse prend place et qu'elle trouve sa signification. Si on n'a pas compris cela, on n'a pas compris la signification de l'ascèse dans la perspective chrétienne.

A propos de la conception chrétienne de l'ascèse, les malentendus, les contresens sont nombreux, et apparemment indéracinables. Ils proviennent tous d'une source commune, qui est très simple : l'ignorance de ce qu'est la doctrine chrétienne. Ainsi, les malentendus et les contresens indéfiniment répétés aujourd'hui par les disciples de Nietzsche et les disciples de Freud reposent sur une ignorance radicale, et qui s'ignore elle-même, de ce dont il s'agit. Nous avons exposé ailleurs quelques-uns des principaux contresens que commet Nietzsche lorsqu'il prétend traiter du christianisme[1]. Nous n'y reviendrons pas ici. Notons simplement qu'en ce qui concerne la doctrine et la signification de l'ascèse, le principal contresens, commis par Nietzsche et par beaucoup d'autres à sa suite, consiste à confondre la doctrine chrétienne avec ce qui non seulement n'est pas elle, mais qui est tout juste le contraire de ce qu'elle est, à savoir la gnose, le manichéisme et le catharisme.

Il existe plusieurs formes d'ascèse, plusieurs doctrines de l'ascèse, qui dépendent des métaphysiques sous-jacentes. Si vous professez par exemple que l'âme est d'essence divine et qu'elle est tombée dans un corps mauvais, alors l'ascèse consistera à délivrer l'âme divine et prisonnière de ce corps en lequel elle est exilée et aliénée. L'ascèse, dans cette perspective, consiste à faire retourner l'âme à sa condition antérieure, qui est divine. Si vous professez, comme les disciples de Marcion ou de Mani, que les corps sont l'œuvre d'un dieu mauvais, alors l'ascèse consistera à se séparer de ces corps mauvais et de la matière mauvaise.

L'ascèse chrétienne orthodoxe est fondée sur un principe, qui est le principe du monothéisme hébreu, juif et chrétien : l'excellence de l'ordre cosmique, physique et biologique.

1. *Les Problèmes de l'athéisme*, Paris, Éd. du Seuil, 1972, deuxième partie chap. v, p. 371 et s.

Toute doctrine ascétique qui met tant soit peu en question ce principe fondamental est suspecte, du point de vue de l'orthodoxie.

Pour comprendre l'ascèse chrétienne orthodoxe, il faut se placer dans la perspective génétique que nous avons indiquée depuis le début de ce travail. L'ordre cosmique, physique, biologique, en tant que tel, est excellent et admirable, — mais il est provisoire. Comme le dit Paul dans un texte que nous avons déjà rencontré : « La chair et le sang ne peuvent pas hériter le royaume de Dieu, et le corruptible ne peut pas hériter l'incorruptible. » (1 Co 15, 50.) Non pas que l'ordre biologique, en tant que tel, soit mauvais, bien au contraire. Mais pour des raisons métaphysiques il n'est pas apte, en tant que tel, à entrer dans l'économie définitive qui est la vie éternelle, qui est la vie de Dieu même. Il doit subir, pour entrer dans l'économie de la vie divine, une transformation, une mutation. C'est ce que Paul ajoute aussitôt : « Voici, je vous dis un secret *(mustèrion)* : tous nous ne nous coucherons pas pour mourir, mais tous nous serons changés. » (*Ibid.,* 15, 51.)

L'ascèse chrétienne, c'est cette transformation, sous sa forme privative, sous sa forme de dépouillement. L'animal qui est appelé, par sa programmation génétique, à une métamorphose, doit mourir à la forme vivante qu'il était tout d'abord. L'homme qui doit consentir à une métamorphose plus radicale encore, doit mourir au vieil homme qu'il était. C'est une doctrine que nous avons vue exprimée dans plusieurs textes de Paul. C'est celle que nous allons suivre maintenant dans son développement.

Le vieil homme, dans le langage de Paul, c'est non seulement la vieille humanité, au sens d'humanité première, d'humanité initialement créée, la première forme humaine. Mais c'est aussi l'humanité telle qu'elle s'est faite, ou défaite, par l'accumulation de ses crimes, depuis qu'elle existe sans doute. En langage moderne, c'est non seulement l'inné, mais aussi l'acquis. Ce qui est transmis par la tradition génétique, et ce qui est transmis par la voie orale, par les langues, les traditions orales, les cultures, les systèmes économiques et politiques, les systèmes d'idées, tout cet héritage qui pèse sur l'enfant d'homme qui vient de naître, tout cela constitue « le vieil homme » qui doit mourir pour que naisse l'homme nouveau, conforme au dessein créateur et divinisateur.

Dans sa lettre aux chrétiens de Rome, Paul expose comment nous sommes baptisés dans la mort du christ :

« Ou bien ignorez-vous que nous tous qui avons été baptisés dans le christ Jésus, c'est dans sa mort que nous avons été baptisés ? Car nous avons été mis au tombeau avec lui, par le baptême, dans la mort, afin que, tout comme le christ a été relevé des morts, de par la gloire du père, nous aussi nous marchions en nouveauté de vie. Car si nous sommes devenus co-implantés *(sumphutoi)* en la ressemblance de sa mort, mais alors nous le serons aussi de sa résurrection! Sachant ceci : notre vieil homme a été co-crucifié (sous-entendu : avec le christ)... » (Rm 6, 3.)

Doctrine analogue dans la lettre aux Colossiens :

« Si vous êtes morts avec le christ aux rudiments du monde, comment, comme si vous viviez dans le monde, vous laissez-vous endoctriner... Si donc vous êtes ressuscités avec le christ, recherchez ce qui est en haut... Car vous êtes morts, et votre vie est cachée avec le christ en Dieu. » (Col 2, 20-3, 3.)

Voilà donc le troisième sens du mot mort, dans le langage chrétien : la mort au vieil homme, à la vieille humanité.

C'est de cette mort que saint Jean de la Croix a été le théoricien.

Le thème qu'il va développer, le problème qu'il va creuser, c'est celui que nous avons lu sous sa plume lorsqu'il commente les textes du quatrième évangile concernant la nouvelle naissance :

« ... A ceux qui sont nés de Dieu, c'est-à-dire à ceux qui renaissent par grâce, mourant premièrement à tout ce qui est du vieil homme, s'élèvent au-dessus de soi au surnaturel, recevant de Dieu cette autre naissance et cette filiation, qui est au-dessus de tout ce que l'on peut penser[1]... »

L'ascèse, pour Jean de la Croix, comme pour toute la tra-

---

1. *La Montée du Carmel,* liv. II, chap. v, trad. cit., p. 135.

dition mystique orthodoxe, la mort au troisième sens du mot dans le langage chrétien, c'est la condition nécessaire prérequise pour la nouvelle naissance, pour la nouvelle création.

Nietzsche n'a pas vu cela. Il n'a même pas vu que le christianisme, c'est la création d'une humanité nouvelle. Il n'a retenu du christianisme que la morale kantienne, c'est-à-dire un produit de décomposition, ce qui reste du christianisme si on enlève la substance, la vie même, le principal, c'est-à-dire la vie mystique.

Ce qu'il faut d'abord bien comprendre, c'est que l'ascèse n'a pas d'abord ni principalement une fonction « pénitentielle ». L'ascèse n'est pas d'abord une « punition » que l'homme s'imposerait à lui-même. L'ascèse et la mortification sont la condition d'une genèse, d'une genèse de l'homme nouveau qui est en formation.

L'histoire du peuple hébreu, plus précisément l'histoire du prophétisme hébreu, montre que lorsque Dieu le Créateur veut susciter une humanité nouvelle ou un nouveau type d'humanité, il commence par arracher l'homme à son cadre ancien, à sa civilisation première. C'est le cas d'Abraham, le père des émigrants et des nomades, le père des croyants. Le prophète, l'homme de Dieu, — que ce soit Amos, Osée, Isaïe, Jérémie ou Ezéchiel, — est quelqu'un qui est invité à aller à contre-courant, dans le sens inverse de l'entropie, pour parler le langage moderne. L'expérience historique montre que ces hommes qui ont coopéré le plus activement à la formation de l'humanité nouvelle, sont aussi ceux qui ont le plus souffert. Ce n'est pas une vie de confort ni d'aisance qui est offerte au prophète, ni les approbations de l'entourage, mais au contraire une vie de combat. L'histoire de la mystique chrétienne, depuis saint Paul jusqu'à sainte Catherine de Sienne, Thérèse d'Avila et Jean de la Croix, montre que la même loi se vérifie : ceux qui sont le plus efficaces, ceux qui ont coopéré le plus à l'œuvre créatrice de Dieu, sont aussi ceux qui ont le plus souffert.

Le livre de Job, composé sans doute autour du Ve siècle avant notre ère, expose que Dieu ne veut pas qu'entre l'homme et Dieu les relations soient intéressées, c'est-à-dire que l'homme attende de l'alliance avec Dieu le confort, le bien-être, la fortune et la considération. La question que Satan pose à Yhwh, dans le livre de Job, c'est : « Est-ce d'une manière désintéressée que Job craint Dieu ? » (Jb 1, 9.)

La raison pour laquelle Dieu le créateur n'est pas tenu de donner à ses saints une vie confortable ni une tranquille aisance, c'est tout simplement parce que, dans les vues du dessein créateur, le terme de la création n'est pas sur cette minuscule planète, qui n'est qu'un laboratoire, mais bien au-delà. Le royaume que Dieu le Créateur prépare pour ceux qui l'aiment ne sera pas sur cette planète. L'illusion qui consiste à imaginer le royaume de Dieu sur cette planète, c'est ce qu'on a appelé l'hérésie « millénariste », qui est très répandue aujourd'hui au XXᵉ siècle, non seulement parmi certaines sectes chrétiennes, comme par exemple celle des Témoins de Jehovah, mais plus généralement parmi les hommes politiques qui s'imaginent et proclament sans rire qu'ils vont procurer à l'homme le bonheur par l'ordre politique et dans l'ordre politique.

Voici ce qu'écrit Thérèse d'Avila au sujet des contemplatifs :

« Donc, mes filles, à vous que Dieu ne conduit pas par ce chemin, je dis que d'après ce que j'ai vu et compris, non seulement les contemplatifs ne portent pas une croix plus légère, mais vous seriez étonnées des voies et façons auxquelles Dieu a recours pour les éprouver. Je connais ces deux états, je sais clairement que les peines que Dieu impose aux contemplatifs sont intolérables; elles sont telles que s'il n'accordait pas en même temps ces mets délicieux, on ne pourrait les supporter. Il est clair que Dieu conduit ceux qu'il aime beaucoup dans une voie d'épreuves d'autant plus dures qu'il les aime davantage; il ne faut pourtant pas croire qu'il hait les contemplatifs, car il les loue de sa propre bouche et les considère comme ses amis.

« Mais croire qu'il s'attache d'une étroite amitié à des gens douillets et affranchis de toute peine, c'est sottise. Je tiens pour certain que Dieu leur réserve les plus grandes épreuves; mais comme il les conduit par des chemins ravinés, abrupts, où il leur arrive souvent de se croire perdus et obligés de retourner sur leurs pas pour repartir, Sa Majesté est obligée de les sustenter, non avec de l'eau, mais avec du vin, pour que dans l'ivresse ils ne sentent pas ce qu'ils endurent et soient capables de le supporter. Je vois donc peu de vrais contemplatifs qui ne soient vaillants et déterminés à souffrir, car la première des choses que fait le Seigneur, s'ils sont faibles, c'est de leur donner du courage et de faire qu'ils ne craignent point les peines [1]. »

Thérèse y revient plus loin. Ceux qui sont allés loin et haut dans l'aventure qu'est la vie contemplative, ce sont des hommes et des femmes qui ont consenti à payer le prix, à donner de leur personne, à subir et à pâtir. C'est ainsi que Dieu les instruit :

« L'âme que Dieu appelle à Lui dans une si haute oraison ne se soucie pas plus d'être estimée que de ne l'être point... Lorsque le Seigneur lui a donné ici-bas son royaume, elle ne veut pas du royaume de ce monde; et pour régner plus haut, elle connaît le vrai chemin, elle a déjà l'expérience des grands bienfaits qu'elle y trouve et des progrès que fait l'âme qui souffre pour Dieu. Il est exceptionnel que Sa Majesté accorde de si grands régals à des personnes qui n'ont pas supporté de bon cœur beaucoup d'épreuves pour Lui; comme je l'ai dit ailleurs dans ce livre, lourdes sont les épreuves des contemplatifs, c'est pourquoi le Seigneur les veut gens d'expérience [2]. »

Dans un autre ouvrage, la mère fondatrice prévient de nouveau ses filles de ce qu'elles auront à subir si elles veulent avancer dans la vie contemplative et mystique :

« Que d'épreuves intérieures et extérieures elle endure, jusqu'à ce qu'elle pénètre dans la septième demeure !

« Vraiment, je songe parfois que si on les connaissait d'avance, il serait, je le crains, extrêmement difficile de persuader notre faiblesse naturelle de les souffrir et de les vivre, si grands soient les biens qui lui sont proposés... Je crois que je ferai bien de vous décrire quelques-unes des épreuves que

1. *Le Chemin de la perfection,* chap. XVIII, p. 422.
2. *Ibid.,* chap. XXXVI, 8, p. 495.

je suis certaine de connaître. Il se peut que toutes les âmes ne soient pas conduites par ce chemin, je doute toutefois beaucoup que celles qui jouissent parfois bien réellement des choses du ciel soient quittes d'épreuves terrestres d'une manière ou d'une autre.

« Je n'avais pas l'intention d'en parler, mais j'ai pensé que ce sera une consolation pour l'âme qui les subit de savoir ce qu'il advient de celles à qui Dieu accorde de semblables faveurs, car, vraiment, alors, tout paraît perdu [1]. »

Et toujours dans *le Château intérieur*, Thérèse formule cette loi :

« Nous avons toujours vu ceux qui ont vécu le plus près du christ notre Seigneur subir les plus grandes épreuves [2]. »

Et lorsqu'elle expose les plus hauts degrés de l'oraison, Thérèse explique que les épreuves intérieures à subir sont proportionnelles au degré à atteindre. Ce qu'elle explique annonce ce que va développer son disciple Jean de la Croix :

« La peine qu'on éprouve en ce degré d'oraison n'a rien de commun avec celle-ci (qui précède); nous pourrions bien, certes, la ressentir, Dieu aidant, à force de méditer, mais elle n'atteint pas le fond de nos entrailles comme il en est ici, où elle semble déchiqueter l'âme et la broyer, sans qu'elle le cherche, et même parfois sans qu'elle le veuille [3]. »

Jean de la Croix, à la suite de Thérèse, enseigne la loi fondamentale du devenir, de la genèse, de la formation de l'homme nouveau capable d'entrer dans l'économie de la vie nouvelle qui est la vie de Dieu, loi vérifiée par tout le prophétisme hébreu, vérifiée au plus haut point et formulée par le dernier des prophètes hébreux, énoncée par les disciples les plus proches de Ieschoua :

« Notez que, selon le cours ordinaire, aucune âme ne peut arriver à ce haut état et à ce royaume des épousailles qu'elle n'ait au préalable passé par maintes tribulations et maints travaux, parce que, comme il est dit aux Actes des Apôtres :

1. *Le Château intérieur,* 6es demeures, chap. I, 1-2, p. 949.
2. *Ibid.,* 7es demeures, chap. IV, 5, p. 1033.
3. *Ibid.,* 5es demeures, chap. II, 11, p. 935.

« C'est à travers beaucoup de tribulations qu'il nous faut entrer dans le royaume de Dieu [1]... » (Actes 14, 22). »

Le problème posé est un problème de pédagogie génétique, ou de création. Il s'agit de faire passer des êtres de la condition animale où ils sont au début à une condition divine. Mais comment comprendre que ce soit à travers beaucoup de tribulations ? Pourquoi faut-il que ce soit à travers le désert et des épreuves de toute sorte ?

De nouveau il faut écarter les explications de type pénitentiel, et rechercher la solution dans la voie d'une ontologie de la création, c'est-à-dire rechercher les conditions de l'ontogenèse.

Au niveau biologique déjà, si l'on en croit le premier et le plus grand des théoriciens de l'évolution, à savoir Lamarck, la genèse des espèces vivantes n'est pas un processus dans lequel les êtres vivants subiraient d'une manière purement passive cette création. Le milieu, en se modifiant, suscite de la part du vivant une réaction de riposte qui est créatrice. Le grand historien anglais Arnold Toynbee a montré, dans sa monumentale étude sur la genèse et la mort des civilisations, qu'une civilisation ne naît, ne se forme, que dans une relation dialectique avec un obstacle à vaincre, à surmonter. Dans la genèse de la personne humaine, il doit exister un processus analogue. Ni pour les espèces vivantes, ni pour les civilisations, ni pour les personnes humaines, le confort, la facilité, le parasitisme, ne sont des conditions favorables à la création de l'être. Pour créer une personne capable de devenir active, créatrice à son tour, et coopératrice, Dieu la travaille, la dépouille des facilités, lui propose des épreuves qui demandent une réaction créatrice. C'est ce qu'exposent les maîtres de la théologie mystique.

Mais il y a encore autre chose : l'idée que l'homme, pour croître, pour se développer, pour se transformer et accéder à la plénitude de la taille du christ à laquelle il est appelé, doit se libérer de quelque chose qui se trouve dans le vieil homme, ce que Jean de la Croix appelle des « *habitudes* » ou

---

1. *La Vive Flamme d'amour,* strophe ii, vers 5, p. 1005.

« *racines* » de l'âme. Il s'agit de faire sortir à la surface, de conduire à la claire conscience, ce qui était caché au fond du vieil homme.

Croissance et prise de conscience, transformation et purification, ontogenèse et renouvellement, tels sont les termes qui nous paraissent caractériser l'anthropogenèse selon Jean de la Croix.

Voici, par exemple, en quels termes s'exprime saint Jean de la Croix dans une page de *la Vive Flamme d'amour*. Il parle constamment de « travaux » et ces travaux ont pour but de fortifier et de purifier l'âme afin de la rendre capable de cette destinée à laquelle elle est invitée :

« Donc, il y a trois sortes de travaux qu'endurent ceux qui doivent arriver à cet état, c'est à savoir : les travaux et désolations, les craintes et tentations qui viennent du côté du monde, et ce, en bien des manières ; puis les tentations, sécheresses et afflictions qui viennent de la part des sens ; enfin les tribulations, ténèbres, oppressions, abandons, tentations et autres travaux qui arrivent de la part de l'esprit, qui se purifie de cette façon quant à la partie spirituelle et sensitive... Or la raison pourquoi ces travaux sont nécessaires pour parvenir à cet état, c'est que, tout ainsi qu'une liqueur de grand prix ne se met que dans un vase qui soit fort, préparé et purifié ; ainsi cette union très haute ne peut échoir à une âme qui n'ait été fortifiée à force de travaux et tentations, et purifiée par tribulations, ténèbres et oppressions ; parce que par l'entremise de l'un, elle se purifie et fortifie quant aux sens, et par le moyen de l'autre, elle se subtilise et purifie et se dispose en l'esprit. Car, comme les esprits impurs passent, en l'autre vie, par les peines du purgatoire, afin de s'unir à Dieu en sa gloire, ainsi ont-ils besoin de passer par le feu des peines susdites pour parvenir en cette vie à la perfection d'union. Or, ce feu opère plus puissamment à l'endroit des uns qu'à l'endroit des autres, plus longtemps aux uns qu'aux autres, selon le degré d'union à quoi Dieu veut les élever, et selon le besoin qu'ils ont d'être purgés[1]. »

---

1. *La Vive Flamme d'amour*, strophe II, vers 5, p. 1006.

S'il y a peu d'êtres qui, en l'existence présente, sur cette planète, parviennent à l'union qui est le terme normal de la création, ce n'est pas que Dieu le créateur ne le veuille pas, c'est que les êtres créés, en l'occurrence les hommes, ne coopèrent pas d'une manière suffisamment active à la transformation requise, laquelle exige un travail effectif :

« C'est en cet endroit que nous devons remarquer la raison pour quoi il y a si peu d'âmes qui arrivent à ce haut degré de perfection d'union avec Dieu. Sur quoi il faut savoir que ce n'est point que Dieu veuille que le nombre de ces esprits élevés soit petit; car plutôt il voudrait que tous fussent parfaits, mais c'est qu'il trouve peu de vaisseaux qui soient capables d'une œuvre si haute et relevée. Car comme il les éprouve en choses petites et les trouve lâches et de telle sorte qu'aussitôt ils fuient le travail sans se vouloir assujettir à la moindre désolation et mortification, de là vient que, ne les trouvant pas courageux et fidèles en ce peu en quoi il leur faisait la grâce de les commencer à ébaucher et travailler, il lui est aisé de voir qu'ils le seront beaucoup moins en chose de plus grande importance; et ainsi il ne poursuit pas de les purifier et élever de la poussière de la terre par le travail de la mortification qui requérait une plus grande constance et une plus grande force que celles qu'ils montrent. Et ainsi, il s'en trouve beaucoup qui désirent bien passer outre et demandent fort continuellement à Dieu qu'il les tire et les avance à cet état de perfection. Mais quand Dieu veut commencer à les tirer par l'exercice des premiers travaux et mortifications, selon qu'il est nécessaire, ils n'y veulent pas passer... Et ainsi, ils ne font pas place à Dieu pour recevoir ce qu'ils lui demandent, quand il commence à le leur donner [1]. »

Si Dieu introduit les candidats à la vie contemplative dans la nuit obscure, ce n'est pas pour les brimer, c'est pour les faire croître et se développer :

« Dieu met en la nuit obscure ceux qu'il veut purifier de toutes ces imperfections, pour les faire avancer [2]. »

1. *La Vive Flamme d'amour,* strophe II, vers 5, p. 1007-1008.
2. *La Nuit obscure,* I, II, 8, p. 492.

Jean de la Croix a exposé longuement par quelles transformations l'homme doit passer pour accéder au terme auquel
il est destiné. Il explique quelle est la pédagogie de Dieu dans
ce douloureux processus de métamorphose qui fait passer
l'homme de sa condition animale à la condition divine à
laquelle il est appelé. Jean de la Croix utilise très fréquem-
ment une analogie : celle du sevrage, qui est nécessaire pour
que l'enfant passe du stade de la tétée au stade adulte :

« Les âmes commencent à entrer dans cette obscure nuit
(en esta noche oscura) quand Dieu les va tirant de l'état de ceux
qui commencent [...] et les commence à mettre dans celui
de ceux qui profitent — qui est désormais celui des contemplatifs — afin que passant par là, ils arrivent à l'état des parfaits — qui est celui de l'union divine de l'âme avec Dieu
(que es él de la divina union del alma con Dios)...

« Sachez donc que, lorsque l'âme se convertit à Dieu avec
une ferme résolution et se met à le servir, d'ordinaire il
(Dieu) va l'élevant en esprit et la caressant comme une mère
amoureuse fait à son tendre enfançon — lequel elle échauffe
dans son sein, le nourrit d'un lait savoureux et de nourritures
délicates et douces, le porte entre ses bras et lui fait mille
caresses. Mais, à mesure qu'il croît, la mère le sèvre de ces
caresses, et, cachant son tendre amour, met de l'aloès amer
sur son doux sein, et, le faisant descendre de ses bras, le met à
terre pour le faire marcher, afin que, perdant les propriétés
de l'enfance, il s'adonne aux choses plus grandes et qui ont
plus de substance. La grâce de Dieu, cette amoureuse mère
(la amorosa madre de la gracia de Dios), aussitôt qu'elle régénère
l'âme *(reengendra al alma)* pour une nouvelle chaleur et fer-
veur de servir Dieu, elle en fait de même : lui faisant trouver
sans peine un lait spirituel doux et savoureux en toutes les
choses de Dieu et une grande douceur en tous ses exercices;
car Dieu lui donne, comme à un cher enfançon, la mamelle
de son tendre amour[1]... »

Le traitement que Dieu fait subir à l'âme est une véritable
cure. Dieu s'y prend progressivement pour purifier, guérir,

---

1. *La Nuit obscure*, I, 1, 1-2, p. 485.

développer cette âme qu'il veut faire passer de l'état de nourrisson à l'état adulte.

L'homme ne peut pas se purifier lui-même, tout seul, même par l'ascèse qu'il s'imposera à lui-même, de tout ce passé, de tout ce passé, qui l'empêche de naître nouveau. Il faut que Dieu s'en mêle, et opère lui-même la purification, la mortification du vieil homme. Nous verrons petit à petit se dégager la doctrine des mystiques chrétiens concernant la grâce : c'est Dieu qui est premier, toujours, en tant que créateur et en tant qu'il transforme et divinise. C'est donc la doctrine la plus classique de la grâce, celle de saint Paul et de saint Augustin.

Mais il faut que l'âme coopère à cette œuvre de transformation d'une manière active. Nous sommes donc, avec saint Jean de la Croix, qui relate, ne l'oublions pas, une expérience, aussi loin de Pélage que de Martin Luther :

« Néanmoins l'âme ne saurait se purifier entièrement de ces imperfections non plus que des autres, jusques à ce que Dieu la mette en la purgation passive de cette obscure nuit *(en la pasiva purgacion de aquella oscura noche)*...

« Mais il faut que l'âme s'efforce de sa part de faire tout ce qu'elle pourra pour se purger et se perfectionner, afin qu'elle mérite que Dieu la mette en cette cure divine où il guérit l'âme de tout ce dont elle-même ne peut parvenir à se guérir. Parce que, quoi qu'elle fasse, elle ne saurait se purger (purifier : *purificarse*) elle-même activement en sorte qu'elle soit le moins du monde disposée pour la divine union de parfait amour, si Dieu ne s'en mêle et ne la purge *(purga)* dans ce feu qui lui est obscur[1]... »

Ce feu est obscur à l'âme au début parce qu'elle ne comprend pas qu'il a pour but de la transformer et de la créer nouvelle. Elle le ressent comme seulement négatif et mortifiant. Ce que saint Jean de la Croix enseigne, c'est que ce qui est apparemment négatif, douloureux et mortifiant, est en réalité créateur et positif.

Jean de la Croix pense que l'âme humaine doit être purgée

---

1. *La Nuit obscure,* I, III, 3, p. 494.

dans sa partie sensible, affective, et dans sa partie spirituelle. Il distingue donc plusieurs sortes de « nuits » en rapport avec ces différentes purgations :

« Cette nuit, que nous disons être la contemplation, cause deux sortes de ténèbres ou de purgations en les spirituels, selon les deux parties de l'homme, qui sont la sensitive et la spirituelle. Et ainsi, il y a une nuit ou purgation sensitive par laquelle l'âme se purge selon le sens, l'accommodant à l'esprit ; et l'autre est une nuit ou purgation spirituelle, par laquelle l'âme se purge et se dénue selon l'esprit, l'accommodant et disposant pour l'union d'amour avec Dieu. La sensitive est commune et arrive à beaucoup — à savoir aux commençants — de laquelle premièrement nous parlerons. La spirituelle n'arrive qu'à fort peu — et encore du nombre de ceux qui sont déjà exercés et avancés — dont nous traiterons après.

« La première purgation ou nuit est amère et terrible pour les sens *(la primera purgacion o noche es amarga y terrible para el sentido)*...

« La seconde n'a point de comparaison ; parce qu'elle est horrible et épouvantable pour l'esprit *(horrenda y espantable para el espiritu)* [1]... »

Les candidats à la vie contemplative, tout au début, sont comme des enfants, gourmands des choses spirituelles, possessifs, assez contents d'eux-mêmes.

Lorsque Dieu veut faire avancer ces débutants, c'est-à-dire les faire croître, les faire approcher de l'âge adulte, il les prive de leurs contentements, de leurs satisfactions, où l'affectif et le spirituel se mêlent. Il les sèvre de tout ce qui est enfantin. Il les fait entrer au désert afin d'en faire des hommes :

« Donc, comme le style qu'ont ces commençants en la voie de Dieu est bas et fort correspondant à leur amour-propre et à leur goût [...], Dieu les voulant avancer et les tirer de cette manière basse d'aimer à un plus haut degré de son amour, et les délivrer du bas exercice du sens et du discours qui cherchent Dieu si mesquinement et avec tant

---

1. *La Nuit obscure*, I, VIII, p. 508-509.

d'inconvénients [...] et les mettre en l'exercice de l'esprit où ils peuvent plus abondamment et avec plus d'affranchissement des imperfections communiquer avec Dieu — après qu'ils se sont exercés quelque temps au chemin de la vertu, persévérant en méditation et oraison, où, par la saveur et le goût qu'ils y ont trouvés, ils ont retiré leurs affections des choses du monde et acquis des forces spirituelles, avec lesquelles ils tiennent les appétits des créatures quelque peu réfrénés et peuvent déjà souffrir pour l'amour de Dieu un peu de charge et d'aridité sans tourner en arrière vers le meilleur temps — lorsque ces exercices spirituels marchent plus à leur saveur et selon leur goût et que le soleil des faveurs divines, à leur avis, les illumine plus clairement; Dieu leur obscurcit toute cette clarté, leur ferme la porte et tarit la source de cette douce eau spirituelle qu'ils goûtaient en Dieu toutes les fois et tout le temps qu'ils voulaient — car étant faibles et tendres, il n'y avait point de porte fermée pour eux [...] et ainsi il les laisse en telle obscurité qu'ils ne savent pas où se conduire avec le sens de l'imagination et le discours; car ils ne peuvent faire seulement un pas en la méditation, comme ils avaient de coutume auparavant, le sens intérieur étant désormais noyé en cette nuit et les laissant si arides que non seulement ils ne trouvent ni goût ni suc en les choses spirituelles et bons exercices où ils trouvaient auparavant leurs délices et leurs goûts, mais, au contraire, ils y ont du dégoût et de l'amertume — parce que [...] Dieu voyant qu'ils ont un peu crû, afin qu'ils se fortifient et quittent les langes, il les sèvre du lait de la douce mamelle et, les mettant à terre, leur apprend à marcher tout seuls, ce qui leur semble bien étrange[1]... »

Constamment, Jean de la Croix associe l'analyse de son expérience propre, de l'expérience de ceux et de celles qu'il connaît, qu'il dirige, — et la référence à l'aventure mystique du peuple hébreu. Il faut noter ici en quelle haute estime Jean de la Croix tenait les mystiques hébreux dont les livres constituent cette bibliothèque que les chrétiens appellent « l'Ancien Testament » et pour lequel ils ont souvent,

---

1. *La Nuit obscure*, I, ix, 3, p. 509-510.

aujourd'hui, une condescendance quelque peu méprisante. Saint Jean de la Croix n'était pas du tout de cet avis. Il tient l'histoire du peuple hébreu pour l'aventure mystique de l'humanité, c'est-à-dire la croissance de l'humanité, en ce point, et sa naissance à la vie mystique, et il considère les livres de la bible hébraïque, aussi bien historiques que prophétiques, et le livre des psaumes, comme d'authentiques documents mystiques, qui relatent un itinéraire que le chrétien revit aujourd'hui, sous le régime de la nouvelle alliance.

Jean de la Croix compare donc ce que subit le candidat ou la candidate à la vie contemplative, à ce qu'ont vécu et pâti les Hébreux lorsqu'ils sont sortis d'Égypte, la maison de servitude, et lorsqu'ils sont entrés dans le désert. Et la résistance des Hébreux à cette sortie, à cette aventure, leurs regrets, leur nostalgie de l'Égypte, Jean de la Croix les compare à ce que ressent l'âme qui entre dans la phase de sevrage :

« Ceux, en effet, que Dieu commence à conduire par ces solitudes du désert ressemblent aux enfants d'Israël, lesquels, aussitôt que Dieu, dans le désert, eut commencé à leur donner cette nourriture du ciel [...] néanmoins ils regrettaient davantage le défaut (l'absence) qu'ils avaient des goûts et saveurs des viandes et des oignons qu'ils mangeaient en Égypte[1]... »

Dans cette traversée du désert, dans ces étapes de transformation, c'est Dieu qui guide et c'est lui qui opère. Tout ce que peut faire l'âme, en s'agitant, ne sert donc de rien, et ne peut que nuire et faire obstacle à la transformation profonde de l'être qui est en train de s'opérer. De nouveau nous rencontrons Jean de la Croix docteur de la grâce, et docteur de l'efficace première de Dieu, dans la suite de saint Paul et de saint Augustin. Pour empêcher que l'homme ne fasse obstacle à ce travail de transformation, Dieu va jusqu'à lier les puissances intérieures :

« En cet état, Dieu met l'âme en telle manière et la conduit par un chemin si différent que, si elle voulait opérer par ses puissances, elle empêcherait plutôt l'œuvre que Dieu fait en elle qu'elle n'y aiderait... La cause de cela est parce que désor-

---

1. *La Nuit obscure,* I, IX, 5, p. 513.

mais en cet état de contemplation [...] Dieu est celui qui opère en l'âme; c'est pour cela qu'il lui lie les puissances intérieures, ne lui laissant aucun appui dans l'entendement, ni suc en la volonté ni discours en la mémoire. D'où, ce que l'âme peut alors opérer de soi ne sert [...] que d'empêcher la paix intérieure et l'œuvre que Dieu fait dans l'esprit, en cette sécheresse du sens. Laquelle œuvre, étant spirituelle et délicate, fait une œuvre coite (= paisible), délicate, solitaire, satisfactoire et pacifique et fort éloignée de tous ces autres premiers goûts qui étaient fort palpables et très sensibles [1]... »

Ceux qui sont introduits en cette ténèbre ressentent cette expérience comme négative, comme une privation. Le maître de la théologie mystique enseigne qu'au contraire cette expérience du sevrage est éminemment positive, puisqu'elle est l'introduction, l'entrée dans l'âge adulte. C'est une étape nécessaire dans le développement :

« Cette nuit et purgation de l'appétit est si heureuse pour l'âme à cause des grands biens et profits qu'elle y fait [...], que comme Abraham fit une grande fête quand il sevra son fils Isaac, de même on se réjouit au ciel de ce que désormais Dieu tire cette âme des langes, de ce qu'il la descend de ses bras, la fait marcher de ses pieds et lui ôte le lait de la mamelle et la nourriture délicate et douce des enfants pour lui faire manger du pain avec la croûte et l'accoutumer à l'aliment des forts — lequel en ces aridités et ténèbres du sens on commence à donner à l'esprit vide et sec des sucs du sens : lequel pain est cette contemplation infuse que nous avons dite [2]. »

Le premier effet de cette thérapeutique par le désert et le sevrage, c'est la connaissance que l'être créé prend de lui-même. Nous verrons plus loin quelles sont les différences

---

1. *La Nuit obscure,* I, IX, 7, p. 515.
2. *Ibid.,* I, XII, 1, p. 524.

entre la doctrine de l'inconscient que propose la mystique chrétienne, et la doctrine de l'inconscient qui est véhiculée par l'école issue de Freud. Mais dès maintenant nous pouvons constater que la connaissance de soi-même à laquelle conduit la cure dont Jean de la Croix retrace les étapes, est une connaissance non pas seulement psychologique, mais métaphysique et morale. L'âme connaît, par cette cure ascétique, son indigence métaphysique, son insuffisance radicale, aussi bien quant à l'exister que quant à sa capacité de se développer. Elle découvre sa pauvreté ontologique. Toute satisfaction de soi-même disparaît. Elle atteint alors à cette vertu que les docteurs mystiques mettent tous au principe de toute croissance et de tout développement, l'humilité, — qui n'est pas seulement, loin de là, une vertu morale, mais une authentique connaissance ontologique, l'intelligence de ce qu'on est, seul, et par soi-même :

« Et voici le premier et principal profit que cause cette sèche et obscure nuit de contemplation : c'est la *connaissance de soi-même et de sa misère*. Car outre ceci que toutes les faveurs que Dieu fait à l'âme sont ordinairement enveloppées dans cette connaissance, ces aridités et ce vide des puissances touchant l'abondance qu'elle sentait auparavant [...] lui font connaître sa bassesse et misère, qu'elle ne découvrait pas au temps de sa prospérité... D'où l'âme apprend la vérité de sa misère qui lui était auparavant inconnue. Parce que, lorsqu'elle allait comme en fête, trouvant beaucoup de goût, de consolation et d'appui en Dieu, elle était quelque peu plus satisfaite et plus contente — pensant qu'elle servait Dieu en quelque chose... Mais étant réduite à l'habit de travail, de sécheresse et d'abandonnement, ses premières lumières étant obscurcies, elle possède plus véritablement ces lumières en cette tant excellente et nécessaire vertu de la connaissance de soi-même, ne s'estimant plus en rien, et n'ayant aucune satisfaction de soi, parce qu'elle voit qu'elle ne fait et ne peut rien de soi-même [1]... »

Quelles sont donc ces impuretés que la nuit des sens et de

---

1. *La Nuit obscure*, I, XII, 2, p. 525.

l'esprit doit purger, éliminer, faire sortir ? De quoi faut-il donc que l'homme se délivre pour accéder à la nouvelle naissance, pour que l'homme nouveau puisse se former en lui ?

Si nous comprenons bien la pensée de Jean de la Croix, ce dont l'homme doit se libérer porte sur deux ordres, que l'on pourrait, en langage moderne, appeler l'inné et l'acquis. L'inné, c'est ce que l'homme hérite de ses parents, ce que le petit enfant reçoit en héritage, en langage moderne de nouveau : les programmations inscrites dans son vieux cerveau, et dont la genèse remonte, nous disent les zoologistes, à l'ère reptilienne. L'acquis, ce sont ces habitudes qui se forment tout au long d'une existence d'homme, habitudes morales s'entend, comme par exemple l'avarice ou l'habitude de la vengeance.

Ces deux ordres de réalité psychique constituent ce que Jean de la Croix appelle « les racines » de l'âme, ces racines qu'il faudra finir par extirper pour parvenir à la pleine liberté et nouveauté de l'homme. Tant que ces habitudes, héréditaires ou acquises, n'auront pas été extirpées, la création de l'homme nouveau n'est pas possible. Couper les branches ne suffit pas. Il faut extirper la racine du mal. Or cette racine, nous dit Jean de la Croix, est spirituelle. Seule la nuit de l'esprit pourra finir de l'extirper :

« Ces profitants ont deux sortes d'imperfections, les unes habituelles, les autres actuelles. Les habituelles sont les affections et habitudes imparfaites lesquelles sont comme des *racines* demeurées dans l'esprit, où la purgation du sens n'a pu atteindre. La différence qu'il y a entre ces purgations est celle qu'il y a à couper la branche et à arracher la racine, ou bien à effacer une tache toute fraîche, ou à en ôter une bien enracinée et vieille. Car [...] la purgation du sens est seulement la porte et le principe de contemplation pour celle de l'esprit, et [...] sert plus pour accommoder le sens à l'esprit qu'à unir l'esprit avec Dieu. Mais, nonobstant, les taches du vieil homme demeurent dans l'esprit, encore qu'il ne les voie et qu'elles ne lui soient apparentes ; lesquelles, si elles ne s'effacent avec le savon et la forte lessive de la purgation de cette nuit, l'esprit ne pourra parvenir à la pureté de l'union divine[1]. »

Contrairement à la tradition platonicienne, puis gnostique, qui voyait dans l'union avec le corps la cause des imperfections et des impuretés de l'âme, — Jean de la Croix voit au contraire dans l'esprit, dans la partie spirituelle de l'âme, les racines profondes des imperfections de la partie sensible et affective. C'est la raison pour laquelle la purification de la partie sensible de l'âme humaine ne peut être achevée, réussie complètement, tant que la purification n'a pas porté sur la partie spirituelle, c'est-à-dire sur le fond de l'âme :

« ... l'âpre et dure purgation de l'esprit qui les attend, en laquelle se doivent parfaitement purger ces deux parties de l'âme, à savoir la spirituelle et la sensitive, vu que l'une ne se purge jamais bien sans l'autre — car la bonne purgation pour le sens est quand celle de l'esprit commence expressément. D'où vient que la nuit du sens que nous avons dite, se peut et se doit plutôt nommer une certaine réformation *(reformacion),* un frein de l'appétit *(enfrenamiento del apetito),* que purgation.

« La cause est parce que toutes les imperfections et tous les désordres de la partie sensitive ont leur force et leur racine en l'esprit *(en el espiritu),* où sont subjectées toutes les habitudes bonnes et mauvaises, et ainsi jusqu'à ce que celles-ci (= les habitudes mauvaises de l'esprit) soient purgées, les rébellions et les vices du sens ne se peuvent bien purger [2]... »

En sorte que dans la nuit de l'esprit, c'est l'âme tout entière qui est purifiée, dans ses parties sensibles et spirituelles :

« D'où vient qu'en la nuit suivante, les deux parties sont purgées ensemble, parce que c'est là la fin pour laquelle il était expédient d'avoir passé par la réformation de la première nuit, et d'être parvenu au calme qui en provient, afin que le sens étant conjoint avec l'esprit en certaine manière, ils se purgent et souffrent ici avec plus de force : car, pour une si forte et si rude médecine, une si grande force est nécessaire,

1. *La Nuit obscure,* II, II, 1, p. 543.
2. *Ibid.,* II, III, 1, p. 546-7.

que si la faiblesse de la partie inférieure n'avait été auparavant réformée et n'avait pris de la force en Dieu par la douce et savoureuse communication qu'elle a eue depuis avec lui, la nature n'aurait pas la force ni la disposition pour la supporter[1]. »

Ce que Jean de la Croix appelle souvent « racines », il le nomme aussi « habitudes » de l'âme, ces dispositions profondes, innées ou acquises, qu'il faut réformer pour entrer dans l'économie de la vie divine :

« Vous aurez entendu, par ce qui a été dit, comment Dieu fait ici la grâce à l'âme de la nettoyer et guérir avec cette forte lessive et amère purgation, selon la partie sensitive et spirituelle, de toutes les affections et habitudes imparfaites qui étaient en elle touchant le temporel et le naturel, touchant le sensitif et le spirituel, lui obscurcissant les puissances intérieures et les vidant de tout cela; serrant étroitement et desséchant les affections sensitives et spirituelles, débilitant aussi et diminuant les forces naturelles de l'âme à l'égard de tout cela (ce que l'âme n'aurait jamais su faire d'elle-même...) Dieu la faisant défaillir en cette manière à tout ce qui n'est pas Dieu naturellement, pour la revêtir de nouveau, étant dénudée et dépouillée désormais de sa vieille peau[2]... »

L'âme elle-même a conscience de l'existence de cette racine qui subsiste au fond d'elle-même et qui doit être arrachée :

« ... Elle (= l'âme) ne cesse de sentir, si elle y prend garde (et quelquefois celle-ci paraît d'elle-même) une certaine racine qui demeure, et qui empêche que la joie ne soit parfaite[3]... »

Non seulement l'ascèse s'en prend au vieil homme que nous sommes tous au départ, avant la nouvelle naissance, mais elle attaque aussi les habitudes que l'homme contracte pendant une vie entière. Non seulement, donc, l'ascèse porte sur l'inné, mais aussi sur l'acquis. Tout ce que nous sommes

1. *La Nuit obscure*, II, III, 2, p. 547.
2. *Ibid.*, II, XIII, 11, p. 595.
3. *Ibid.*, II, X, 9, p. 580.

devenus tout au long de notre vie, tout cela doit mourir pour laisser la place à l'homme nouveau :

« Et Dieu fait tout cela par le moyen de cette contemplation obscure en laquelle l'âme ne souffre pas seulement le vide et la suspension de ses appuis naturels et de ses appréhensions — ce qui est une souffrance très angoisseuse (comme si on pendait et retenait quelqu'un en l'air afin qu'il ne respirât) — mais aussi elle va purgeant l'âme, anéantissant ou évacuant ou consommant en elle (comme le feu fait à la rouille et aux taches du métal) toutes les affections et toutes les habitudes imparfaites qu'elle a contractées en toute sa vie. Lesquelles étant bien avant enracinées dans la substance de l'âme, elle souffre d'ordinaire une grande destruction et un tourment intérieur [1]... »

Saint Jean de la Croix reprend et développe la doctrine de saint Paul. Le but de l'épreuve ascétique est le passage de l'état d'enfance à l'état adulte, la mort du vieil homme et la naissance de l'homme nouveau, l'union à Dieu qui est précisément la vie spirituelle :

« Avec tout ceci, la manière dont ces profitants traitent avec Dieu et leur façon d'opérer sont encore de bas aloi et fort naturelles, faute d'avoir l'or de l'esprit purifié et illustré; et ainsi, ils entendent encore de Dieu comme des enfants, ils en bégaient en enfants, savent et sentent de lui en enfants, conformément au dire de saint Paul (1 Co 13, 11), et ceci, pour n'avoir encore atteint la perfection, qui est l'union de l'âme avec Dieu; par laquelle union désormais comme des grands ils opèrent en leur esprit de grandes choses — leurs œuvres et leurs puissances étant désormais plus divines qu'humaines... Dieu voulant les dépouiller entièrement de ce vieil homme et les revêtir du nouveau qui est créé selon Dieu

---

1. *La Nuit obscure*, II, VI, 5, p. 557.

en la nouveauté du sens, selon le dire de l'apôtre. Il leur dénue les puissances, les affections et les sens, tant spirituels que sensibles, tant intérieurs qu'extérieurs, laissant l'entendement en l'obscurité, la volonté à sec, et la mémoire vide, et les affections de l'âme en une extrême affliction, amertume et angoisse, la privant du sens et du goût qu'elle avait auparavant en les biens spirituels, afin que cette privation soit un des principes qui se requièrent en l'esprit pour qu'en lui s'introduise et unisse la forme spirituelle de l'esprit, qui est l'union d'amour *(la forma espiritual del espiritu, que es la union de amor)* [1]. »

Ce que saint Jean de la Croix appelle « la nuit obscure » est donc en fait une action de Dieu, une opération, qui comporte un aspect privatif, le dépouillement du vieil homme, et un aspect positif : Dieu instruit l'âme, il lui communique une science qui est la théologie mystique :

« Cette nuit obscure est une influence de Dieu *(una influencia de Dios)* en l'âme, qui la purge de ses ignorances et de ses imperfections habituelles — naturelles et spirituelles — laquelle influence les contemplatifs appellent contemplation infuse ou théologie mystique : où Dieu enseigne l'âme en secret et l'instruit en perfection d'amour, sans qu'elle fasse rien ni ne sache comme est cette contemplation infuse. Parce que c'est une sagesse de Dieu amoureuse, c'est Dieu qui fait les principaux effets en l'âme, car, en la purgeant et l'illuminant, elle la dispose pour l'union d'amour avec Dieu. D'où vient que la même sagesse amoureuse qui purge les esprits bienheureux, les illustrant, est celle qui purge ici l'âme et l'illumine [2]. »

La douleur mortelle que ressent l'âme dans ce processus de transformation que Dieu opère en elle provient justement de ce qu'elle est engagée dans cette nouvelle naissance. Dieu veut opérer la transformation de l'homme ancien en homme nouveau. Il a entrepris en elle la métamorphose. L'homme reste attaché, fixé, à l'homme ancien, aux anciennes normes, et résiste à la transformation. C'est ce conflit entre l'homme

1. *La Nuit obscure,* II, III, 3, p. 547.
2. *Ibid.,* II, v, 1, p. 550.

ancien et l'homme nouveau en train de se former qui explique la souffrance ressentie :

« La troisième manière de passion et de peine que l'âme endure ici, procède de deux autres extrémités — à savoir divine et humaine — qui s'unissent ici. La divine est cette contemplation purgative et l'humaine est le sujet de l'âme. Parce que, comme la divine investit l'âme afin de la tailler et de la renouveler, pour la faire divine — la dépouillant des affections habituelles et propriétés du vieil homme, auquel elle est fort unie, collée et conformée — elle brise et obscurcit de telle façon la substance spirituelle l'absorbant en une profonde et abyssale obscurité, que l'âme se sent consommer et fondre à la vue de ses misères par une cruelle mort de l'esprit [1]... »

Dans ce passage à travers le désert, dans cette phase nocturne de la transformation, l'âme se sent même abandonnée par Dieu. Saint Jean de la Croix se souvient certainement des psaumes hébreux qui expriment ce sentiment d'abandon, par exemple le psaume 22 : « Mon Dieu, mon Dieu, pourquoi m'as-tu abandonné ? Tu es loin de mon salut, du rugissement de mes paroles. Mon Dieu, j'appelle, le jour, et tu ne réponds pas... Je suis comme de l'eau qui s'écoule et tous mes os se disloquent... » Jean de la Croix est nourri des psaumes et du livre de Job. Il estime que ces livres expriment une expérience mystique fondamentale et actuelle :

« Ce que cette âme dolente ressent le plus ici, c'est qu'il lui semble clairement que Dieu l'a rejetée et, l'ayant en horreur, l'ait précipitée dans les ténèbres — ce qui est pour elle un grand tourment et une peine lamentable, de croire que Dieu l'ait abandonnée... Parce que véritablement, quand cette contemplation purgative serre et étreint, l'âme sent fort au vif l'ombre de la mort, les gémissements de la mort, et les douleurs de l'enfer — qui consistent à se sentir sans Dieu, punie et rejetée, indigne de lui, et qu'il est courroucé : car tout cela se sent ici, et le plus est qu'il lui semble que c'est pour toujours [2]... »

1. *La Nuit obscure*, II, vi, 1, p. 554.
2. *Ibid.*, II, vi, 2, p. 555.

*
* *

La cure de désintoxication et de purification de l'âme est longue. La désintoxication de l'âme va de l'extérieur à l'intérieur. Elle va de plus en plus au fond de l'être, jusqu'à ses racines. Plus la lumière va au fond, et plus la douleur est intime :

« Il est véritable qu'après ces allègements l'âme retourne à souffrir avec plus de véhémence et plus subtilement qu'auparavant. La raison est parce que [...] après que les imperfections ont été plus extérieurement purifiées, le feu d'amour retourne à toucher ce qui reste à purifier et à consommer plus intérieurement. En quoi la souffrance de l'âme est d'autant plus intime, subtile et spirituelle qu'il va lui amenuisant les imperfections les plus intimes, les plus délicates et les plus spirituelles, et plus enracinées au-dedans [1]... »

La violence de la cure varie selon le degré d'avancement auquel Dieu veut conduire le patient, et selon le degré d'intoxication du patient, selon la charge de ce qu'il s'agit d'éliminer. Mais toujours la violence de la cure est quelque chose de positif, de bon :

« Or, cette purgation se fait avec cette véhémence en fort peu d'âmes; voire seulement en celles que notre seigneur veut élever à un plus haut degré d'union; parce qu'il baille la médecine et la purgation plus ou moins forte et dispose l'âme selon le degré auquel il la veut élever, et selon le besoin qu'en a l'âme à raison de son impureté. C'est pourquoi cette peine ressemble à celle du purgatoire; parce que, tout ainsi que les âmes se purgent là afin de voir Dieu en l'autre vie avec une claire vision, ainsi, à proportion, les âmes se purgent ici afin de se pouvoir en cette vie transformer en lui par amour [2]. »

La durée de la cure que Dieu impose à l'âme est variable

1. *La Nuit obscure*, II, x, 7, p. 579.
2. *La Vive Flamme d'amour,* strophe 1, vers 4, p. 977.

elle aussi. Elle dépend des aptitudes de l'âme à être élevée. Les plus faibles, les plus fragiles, sont soumises à des cures moins longues, moins approfondies. Les plus fortes, celles que Dieu veut fortifier davantage encore et conduire plus loin, celles qui sont appelées à des destinées héroïques, Dieu leur impose une cure plus terrible. Mais toujours il s'agit de pédagogie aimante et créatrice, jamais, sous la plume de saint Jean de la Croix, il n'est question de châtiment ni de punition. L'originalité de saint Jean de la Croix c'est de penser ces terribles épreuves en terme de pédagogie créatrice, d'une manière génétique et positive :

« Quant au temps que l'âme demeure en ce jeûne et pénitence du sens, on ne peut pas le dire certainement, parce que cela ne passe pas en tous d'une même façon, ni tous n'endurent pas les mêmes tentations, car cela n'a point d'autre mesure que la volonté de Dieu, selon le plus ou moins que chacun a d'imperfection à purger — et aussi conformément au degré d'union d'amour où Dieu le veut élever, il l'humiliera plus ou moins, soit par l'intensité, soit par le temps. Quant à ceux qui sont les meilleurs sujets et plus forts à souffrir, il les purge plus intensément et plus vivement. Car, pour les très faibles, il les conduit par cette nuit fort lentement, et avec des tentations légères, et les laisse longtemps en cet état, donnant à leurs sens des réfections ordinaires, afin qu'ils ne tournent en arrière; et ainsi, ils arrivent tard à la pureté de perfection en cette vie — et quelques-uns d'entre eux n'y parviennent jamais. N'étant tout à fait dans cette nuit, ni tout à fait dehors; car, quoiqu'ils ne passent outre, néanmoins, pour les conserver en humilité et en la connaissance d'eux-mêmes, Dieu les exerce quelque espace de temps et quelques jours en ces tentations et aridités, et les aide aussi, de temps en temps, avec des consolations, afin que ne manquant de courage ils ne retournent à chercher les goûts du monde. Pour d'autres âmes qui sont encore plus faibles, Dieu se comporte en leur endroit comme apparaissant et s'absentant, pour les exercer en son amour; car, sans ces éloignements, elles n'apprendraient jamais à s'approcher de Dieu.

« Mais, pour les âmes qui doivent passer à un si heureux

et si sublime état qu'est l'union d'amour, avec quelque vitesse que Dieu les conduise, pour l'ordinaire, elles ont coutume de demeurer longtemps en ces aridités et tentations, comme on l'a vu par expérience [1]. »

Entre la nuit des sens, ou partie sensitive ou affective de l'âme, et la nuit de l'esprit, il se passe un certain temps, variable chez les uns et chez les autres. Après la cure portant sur la partie sensible de l'âme, l'être qui a subi ce traitement se sent déjà plus fort, plus libre. Mais la purification de la partie sensible de l'âme n'est cependant pas achevée, et elle ne peut pas l'être tant que la partie spirituelle elle-même n'a pas été soumise au traitement qui l'attend. Car, comme dit Jean de la Croix, la partie sensible ou affective et la partie spirituelle sont comme des niveaux d'une seule et même substance spirituelle qui est l'âme :

« L'âme que Dieu veut conduire plus avant n'est pas mise par Sa Majesté en cette nuit et purgation de l'esprit aussitôt qu'elle sort des sécheresses et des travaux de la première purgation et nuit du sens; au contraire, il se passe bien du temps et des années depuis l'heure qu'étant sortie de l'état des commençants elle s'exerce en celui des avancés.

« Dans lequel, comme celui qui est sorti d'une étroite prison, elle marche en les choses de Dieu bien plus au large, avec beaucoup plus de satisfaction et avec une plus abondante et plus intérieure délectation qu'elle ne le faisait dans les commencements, avant qu'elle n'entrât en ladite nuit...

« Bien que, comme la purgation de l'âme n'est pas entièrement faite (vu que la principale manque, qui est celle de l'esprit, sans laquelle, pour la communication qu'il y a d'une partie à l'autre — n'y ayant qu'un seul suppôt *(supuesto =* latin *suppositum)* — la purgation sensitive non plus ne demeure point achevée ni parfaite, quoiqu'elle ait été très forte), elle ne manque jamais de quelques nécessités, sécheresses, ténèbres et pressures, parfois bien plus fortes que les précédentes, qui sont comme des présages et des messagers

1. *La Nuit obscure,* I, XIV, 5, p. 538 et s.

de la nuit future de l'esprit — encore qu'elles ne soient de si longue durée, comme sera la nuit qu'elle attend[1]. »

Notons en passant que tout le côté ou aspect spectaculaire de la vie mystique, — les extases, les manifestations corporelles dont sont tellement friands les amateurs de phénomènes rares — tout cela, aux yeux des maîtres de la vie mystique, Jean de la Croix et Thérèse d'Avila, tout cela est non seulement secondaire, et dépourvu de tout intérêt propre, mais atteste, de plus, une insuffisance dans le développement de l'être. S'il y a un retentissement neuro-physiologique des expériences mystiques, et tant qu'il y a un retentissement sensible, c'est que la vie mystique n'est pas encore suffisamment et exclusivement spirituelle. C'est qu'on est encore dans l'ordre du psychologique, qui est toujours d'une manière ou d'une autre du psycho-somatique ou du psycho-physiologique. Lorsqu'on a atteint la véritable vie de l'esprit — au sens technique que nous avons indiqué dès le début de la présente étude — les manifestations spectaculaires disparaissent :

« De là viennent les ravissements, les extases et les dislocations des os, qui arrivent toujours quand les communications ne sont pas purement spirituelles — c'est-à-dire à l'esprit seul — comme sont celles des parfaits déjà purifiés par la seconde nuit de l'esprit, qui n'ont plus ces ravissements et tourments du corps, jouissant de la liberté de l'esprit sans que le sens s'offusque et vienne à s'aliéner[2]. »

Tant que dure cette cure, cette purification, il est inutile d'essayer d'atténuer les douleurs qu'elle provoque. La fin des douleurs, ce sera la transformation, la recréation de l'âme libérée, guérie, renouvelée, et devenue capable de prendre part à la vie de Dieu :

« Jusqu'à ce que le Seigneur ait achevé de la purger en la façon qu'il veut, il n'y a moyen ni remède qui lui serve et profite pour sa douleur. Et ce, d'autant plus que l'âme en cet état peut aussi peu de chose que celui qui est dans un cachot

---

1. *La Nuit obscure*, II, 1, 1, p. 541.
2. *Ibid.*, II, 1, 2, p. 543.

obscur, les fers aux pieds et aux mains, sans se pouvoir remuer, ni voir ni sentir aucune aide d'en haut ni d'en bas, jusqu'à ce que, dis-je, l'esprit ici s'humilie, s'adoucisse et se purifie, et devienne si subtil, si simple et si délicat, qu'il se puisse faire un avec l'Esprit de Dieu, selon le degré d'union d'amour auquel la miséricorde divine le voudra élever — car conformément à cela, la purgation est plus ou moins forte, plus ou moins longue[1]. »

On remarque clairement que cette « initiation » à un nouveau « degré », à un nouvel ordre de l'humanité, n'est pas seulement — loin de là — mentale ou spéculative. Ce n'est pas une initiation *symbolique,* comme dans plusieurs sectes gnostiques et sociétés secrètes théosophiques. C'est une transformation réelle de tout l'être, conscient et inconscient. C'est la sainteté elle-même, laquelle implique et présuppose une réformation morale de tout l'être. Là se situe la différence entre la doctrine chrétienne et plusieurs doctrines gnostiques qui pensent pouvoir se dispenser de cette réformation morale et se contenter d'une initiation purement intellectuelle, une « gnose » qui n'est pas la sainteté. Le *prôton pseudos* de la Gnose éternelle c'est de prétendre apporter le salut à l'homme par une initiation sans une transformation radicale de tout l'être, sans la grâce et sans le travail de l'homme qui coopère à la grâce.

Cette longue cure ascétique connaît des interruptions, pendant lesquelles Dieu communique des lumières. Mais tant que l'âme n'a pas terminé sa transformation, elle doit être remise sur le métier, et subir de nouveau l'épreuve qui achève de la transformer :

« Mais si cette purgation doit être en effet quelque chose, tant forte qu'elle soit, elle dure quelques années, présupposé néanmoins que durant ce temps il y a des intervalles de soulagement ; en lesquels, par dispensation divine, cette contemplation obscure cessant d'investir en forme et façon purgative, elle investit en façon illuminative et amoureuse, où l'âme, comme sortie de tels cachots et prisons, et mise en récréation

1. *La Nuit obscure*, II, VII, 3, p. 561.

de latitude et de liberté, sent et goûte une grande suavité de paix et une amoureuse familiarité avec Dieu, dans une facile et abondante communication spirituelle. Ce qui est un indice à l'âme du salut que la dite purgation opère en elle, et un présage de l'abondance qu'elle attend. Et cela est parfois si excellent qu'il semble à l'âme être déjà au bout de ses travaux. Parce que les choses spirituelles sont de cette qualité en l'âme — quand elles sont plus purement spirituelles — que, lorsque les tourments reviennent, il semble à l'âme qu'elle n'en sortira jamais et qu'elle n'aura plus de biens... Et quand elle se trouve favorisée de biens spirituels, il lui semble aussi qu'elle n'aura plus de mal, et que les biens ne lui manqueront à l'avenir[1]. »

Toujours saint Jean de la Croix insiste sur le fait que le but de ces épreuves de dépouillements, d'appauvrissements, de dénuements, c'est la richesse ultime de l'âme créée, son exaltation et sa gloire. L'ascèse et le désert ne sont pas un but en eux-mêmes, mais un moyen, une voie et un passage. L'optimisme foncier de l'ontogenèse de Jean de la Croix apparaît en ce que toujours il souligne cette signification positive, créatrice des épreuves de mortification :

« Il reste donc à dire ici que cette heureuse nuit, encore qu'elle obscurcisse l'esprit, ce n'est que pour lui donner lumière de toutes choses et encore qu'elle l'humilie et le rende misérable, ce n'est que pour l'exalter et l'élever; et encore qu'elle l'appauvrisse et vide de toute possession et affection naturelle, ce n'est qu'afin que divinement il se puisse étendre à jouir et goûter de toutes les choses d'en haut et d'ici-bas, étant en tout avec une générale liberté d'esprit[2]... »

La raison fondamentale pour laquelle l'homme ne peut accéder à la participation à la vie divine sans une ascèse qui est la mort du vieil homme, c'est que la participation à la vie

1. *La Nuit obscure*, II, VII, 4, p. 561-562.
2. *Ibid.*, II, IX, 1, p. 569.

divine est proprement surnaturelle. Il faut passer de l'ordre de la nature, qui est l'ordre créé, à l'ordre surnaturel. Ce passage, ce franchissement, n'est pas possible sans la mort de l'homme ancien, indépendamment des fautes accumulées par ailleurs par l'humanité :

« Parce que les affections, les sentiments et les appréhensions de l'esprit parfait — à cause qu'ils sont divins — sont d'une autre sorte et d'un genre si différent de la façon naturelle, et si éminent que pour posséder les unes actuellement et habituellement, il faut chasser et anéantir les autres... Partant, il est très expédient et même nécessaire à l'âme, afin qu'elle passe à ces grandeurs, que cette nuit obscure de contemplation l'anéantisse et détruise premièrement ses bassesses, la mettant en obscurité, en sécheresse, en pressure et dans le vide ; car la lumière qu'on lui doit donner est une très haute lumière divine qui surpasse toute clarté naturelle et qui ne tombe pas naturellement dans l'intellect.

« Et ainsi, afin que l'entendement puisse arriver à s'unir avec elle, et se rendre divin dans l'état de perfection, il faut premièrement qu'il soit purgé et anéanti en sa lumière naturelle, le mettant actuellement en obscurité par le moyen de cette contemplation obscure. Et il faut que cette ténèbre lui dure autant qu'il est nécessaire pour chasser et anéantir l'habitude qu'il a de longue main formée en soi pour sa manière d'entendre et que l'illustration et lumière divine demeure en la place de sa façon d'entendre [1]... »

La purification, le renouvellement, doivent porter sur les diverses puissances de l'âme. Sur l'intelligence, que Jean de la Croix appelle l'entendement, nous venons de le voir. Mais aussi sur la volonté :

« Parce que l'affection d'amour qui lui doit être donnée en la divine union d'amour, est divine et partant très spirituelle, très subtile, très délicate et très intérieure, et qu'elle excède toute affection et sentiment de la volonté et tout son appétit, il est convenable — pour faire que la volonté puisse venir à sentir et goûter par union d'amour cette affection divine et

1. *La Nuit obscure,* II, IX, 2, p. 570.

si haute délectation qui ne tombe pas naturellement en la volonté — qu'elle soit premièrement purgée et anéantie en toutes ses affections et sentiments, la laissant à sec et dans la pressure autant qu'il est convenable, selon l'habitude qu'elle avait des affections naturelles, tant envers les choses divines qu'humaines; afin qu'elle soit desséchée et bien essorée au feu de cette obscure contemplation [...], qu'elle ait une disposition pure et simple, et le palais purgé et sain pour sentir les soudains et exquis attouchements de l'amour divin, auquel elle se verra divinement transformée[1]... »

Pour recevoir la richesse de Dieu, pour devenir Dieu par participation, l'âme doit d'abord se vider, se dépouiller, s'appauvrir volontairement, se déprendre et se défaire du vieil homme. Autrement dit, à la *kénôse* du christ Jésus « qui étant en forme *(en morphê)* de Dieu, n'a pas estimé devoir retenir avec avarice son égalité avec Dieu, mais il s'est dépouillé lui-même *(heauton ekenôsen),* prenant la forme d'esclave... » (Phi 2, 6), — à la *kénôse* du christ doit donc correspondre et répondre notre propre *kénôse* :

« Semblablement aussi, parce que pour la dite union, à laquelle dispose et achemine cette obscure nuit, l'âme doit être pleine et douée de certaine magnificence glorieuse en la communication avec Dieu, qui enferme en soi des biens et des délectations innombrables, qui excèdent toute l'abondance que l'âme peut naturellement posséder, car elle ne la peut recevoir en une nature aussi faible et impure [...], il faut premièrement que l'âme soit mise dans le vide et la pauvreté d'esprit, la purgeant de tout appui, consolation et appréhension naturelle, tant à l'égard des choses d'en haut que de celles d'ici-bas : afin qu'étant ainsi vide, elle soit bien pauvre d'esprit et dépouillée du vieil homme, pour vivre cette nouvelle et bienheureuse vie qu'on obtient par le moyen de cette nuit obscure, à savoir l'état d'union avec Dieu[2]. »

Le but de cette terrible cure, c'est finalement de fortifier l'âme afin de la rendre capable de goûter au pain des forts, la

1. *La Nuit obscure,* II, ix, 3, p. 571.
2. *Ibid.,* II, ix, 4, p. 572.

vie même de Dieu. Pour ce faire, Dieu retire l'âme de tout ce qui n'est pas lui-même. C'est cela l'ascèse :

« Ce qui arrive d'une façon merveilleuse en cette purgation obscure [...], vu que Dieu tient tous les goûts sevrés et recueillis de telle sorte qu'ils ne sauraient goûter d'aucunes choses de celles qu'ils voudraient. Et Dieu fait tout cela afin que, les séparant de tout le reste, et les retirant tous à soi, l'âme soit plus forte et plus habile pour recevoir cette forte union d'amour de Dieu qu'il commence déjà à lui donner par ce moyen purgatif, où l'âme doit aimer très fortement avec toutes ses forces et appétits spirituels et sensitifs — ce qui n'eût pu être s'ils se fussent répandus à goûter d'autre chose [1]. »

Le maître de cette science créatrice qu'est la théologie mystique enseigne que dans cette ténèbre qu'il décrit c'est Dieu qui opère et c'est lui qui guide. Comme Abraham qui sortit de sa patrie et de sa parenté sans savoir où il allait, ainsi l'aventurier qui s'est engagé dans cette voie qu'est la transformation de l'homme et sa nouvelle naissance est conduit comme un aveugle vers une terre dont il ne soupçonnait pas l'existence. C'est la véritable nouveauté vers laquelle le Créateur conduit l'être créé :

« Donc, ô âme spirituelle ! quand vous verrez votre appétit obscurci, vos affections sèches et resserrées, vos puissances inhabilitées à tout exercice extérieur, ne vous peinez pas de cela, au contraire, tenez-le pour un bonheur, puisque Dieu va vous délivrant de vous-même, vous ôtant des mains les facultés avec lesquelles — même en faisant de votre mieux — vous n'eussiez su opérer si entièrement, si parfaitement ni si sûrement (à cause de leur impureté et de leur pesanteur), comme à présent que Dieu vous prenant la main vous conduit en ténèbres, comme aveugle, où et par où vous ne savez et jamais n'eussiez trouvé le moyen de cheminer, quelque bon pied et bon œil que vous eussiez [2]. »

Cette aventure mystique est un apprentissage et une initia-

1. *La Nuit obscure*, II, XI, 3, p. 582.
2. *Ibid.*, II, XVI, 7, p. 603.

tion. Tout apprentissage d'une science nouvelle consiste à laisser ce qui est ancien, et à s'aventurer vers l'inconnu. La démarche scientifique tout entière, à cet égard — l'histoire des sciences, plus précisément l'histoire des grandes découvertes le montre — est de type ascétique, parce que aucune grande découverte ne s'effectue sans faire mourir en soi des idées reçues, un univers intellectuel ancien et auquel on était habitué, auquel on tenait. La résistance même à la découverte de ce qui est tout nouveau provient de cet attachement à l'ancien, qui est aussi périmé :

« La raison aussi pourquoi non seulement l'âme marche sûrement quand elle est en ces ténèbres, mais aussi avec plus de gain et plus de profit, c'est parce que communément quand l'âme de nouveau reçoit quelque amélioration et qu'elle va profitant, c'est par où elle pense le moins, au contraire par où fort ordinairement elle croit qu'elle se perd. Car, n'ayant jamais expérimenté cette nouveauté, qui la fait sortir, qui l'éblouit, et la fait égarer de sa première façon de procéder, elle croit plutôt être perdue qu'être en bonne voie et profiter, comme elle voit qu'elle se perd touchant ce qu'elle savait et goûtait, et qu'on la mène par où elle ne sait ni ne goûte. De même que le voyageur, lequel pour aller à des terres étrangères et inconnues va par de nouveaux chemins inconnus et dont il n'a l'expérience ; il chemine guidé non par ce qu'il savait auparavant, mais dans le doute et appuyé sur le dire des autres ; et il est clair qu'il ne pourrait arriver à de nouvelles terres, ni savoir plus qu'il ne savait auparavant, s'il n'allait par des chemins nouveaux, encore ignorés, et en laissant ceux qu'il connaît ; ni plus ni moins, celui qui apprend de nouvelles particularités dans un office ou dans un art, avance toujours dans l'obscurité, non par son premier savoir — car s'il ne le laissait en arrière, il ne le dépasserait jamais, ni ne ferait de progrès. Ainsi l'âme en cette façon, quand elle va profitant davantage, elle marche en obscurité et sans savoir. Dieu donc [...] étant le maître et conducteur de cet aveugle de l'âme [1]... »

1. *La Nuit obscure*, II, XVI, 8, p. 603.

Pour expliquer à ses lecteurs ce processus de purification, de transformation et de divinisation, saint Jean de la Croix fait appel à une analogie sensible, celle du feu qui pénètre le bois, qui le noircit d'abord, le fait transpirer, craquer, le purifie de toute humidité, et puis l'enflamme et le métamorphose, le transforme en soi :

« Pour un plus grand éclaircissement de ce que nous avons dit et de ce que nous dirons, il faut remarquer ici que cette purgative et amoureuse notice ou lumière divine dont nous traitons, se comporte envers l'âme, la purgeant et disposant pour l'unir parfaitement avec soi, de même que le feu envers le bois pour le transformer en soi. Parce que le feu matériel appliqué au bois commence premièrement à le sécher, chassant l'humidité dehors et faisant pleurer l'eau qui est encore dedans. Après il le noircit, l'obscurcit et enlaidit, et même le rend malodorant; et en le séchant peu à peu, il l'éclaircit et jette dehors tous les accidents difformes et obscurs qui sont contraires au feu. Et finalement, commençant à l'enflammer par-dehors et à l'échauffer, il vient à le transformer en soi et à le rendre aussi beau que le feu même. Ce qu'étant fait, il n'y a plus de la part du bois aucune passion ni action propre — excepté la pesanteur et la quantité plus épaisses que celles du feu — vu qu'il a en soi les propriétés et les actions du feu; car il est sec et dessèche, il est chaud et il échauffe; il est clair et éclaircit; il est beaucoup plus léger qu'auparavant, le feu opérant en lui toutes ces propriétés et effets [1]. »

Continuant à user de l'analogie avec le feu, Jean de la Croix expose les phases de la désintoxication de l'âme, les phases de la prise de conscience par l'âme elle-même de ce qui était en elle, et elle ne le savait pas. Apparemment, dans les premiers temps de la cure causée par l'Esprit Saint, les choses sont pires qu'avant, l'âme se reconnaît laide et fétide, tout simplement parce que ce qui était caché en elle se mani-

---

1. *La Nuit obscure*, II, x, 1, p. 576.

feste. Les lecteurs qui connaissent les techniques médicales qui procèdent à une désintoxication par le jeûne reconnaîtront les analogies avec ce qui se passe dans ces cures organiques :

« Or, il nous faut philosopher de même touchant ce divin feu d'amour de contemplation, lequel, avant que d'unir et transformer l'âme en soi, la purge premièrement de tous ses accidents contraires. Il fait sortir ses difformités dehors, et la fait devenir noire et obscure, tellement qu'elle paraît pire qu'auparavant et plus laide et abominable qu'elle n'avait coutume d'être. Car comme cette divine purgation va éloignant tous les maux et toutes les humeurs vicieuses — lesquelles elle ne découvrait pas pour être enracinées bien avant et établies dans l'âme, et ainsi elle ne connaissait pas qu'il y eût tant de mal en elle, et maintenant que pour les mettre dehors et les anéantir, on les lui montre et elle les voit si clairement par cette obscure lumière de la contemplation divine (encore qu'elle ne soit pire qu'auparavant, ni à son égard ni quant à Dieu), — comme, dis-je, elle voit en soi ce qu'elle n'apercevait auparavant, il lui semble être telle que, non seulement elle est indigne que Dieu la regarde, mais plutôt qu'elle mérite qu'il l'abhorre, et même que déjà il l'a en horreur [1]. »

C'est le même Esprit saint qui, pour s'unir l'être créé capable de le recevoir, procède à la désintoxication profonde de cet être, effectue la prise de conscience et porte à la lumière ce qui était caché :

« La même lumière et la sagesse amoureuse qui doit être unie à l'âme et la doit transformer, est la même qui, au commencement, la purge et la dispose [2]. »

C'est le même feu de l'amour de Dieu qui d'abord fait souffrir lorsqu'il pénètre les profondeurs de l'être créé, introduit la lumière là où il y avait obscurité, dérange les habitudes de l'âme, oblige à la prise de conscience de ce qui était caché, contraint à sortir de la maison de servitude, force le paraly-

1. *La Nuit obscure,* II, x, 2, p. 577.
2. *Ibid.,* II, x, 3, p. 578.

tique à marcher, — puis informe, transforme, et unit, et devient pour l'être créé, délices. C'est le même feu qui est enfer, purgatoire et paradis, selon les moments et les étapes de la transformation :

« Dans la flamme qui consume et plus ne peine... Cette flamme est l'amour de Dieu désormais parfait en l'âme; lequel, pour être parfait, doit posséder deux propriétés, à savoir qu'il consume et transforme l'âme en Dieu et que l'inflammation et la transformation de cette flamme ne causent plus de peine à l'âme. Et ainsi cette flamme est un amour suave, parce qu'en transformant l'âme en elle-même, il y a conformité et satiété des deux parties; et partant, il ne cause point de peine en variant par augmentation ou déchet, comme il faisait auparavant lorsque l'âme était incapable de parfait amour. Car, en étant devenue capable, l'âme est alors transformée en Dieu et conforme à lui, comme le charbon allumé, lequel est semblable au feu et transformé en lui, sans fumer ni crépiter comme il faisait auparavant, et sans l'obscurité ni les propres accidents qu'il avait devant que le feu l'eût du tout (= totalement) embrasé. Toutes lesquelles propriétés d'obscurité, de fumée, de crépitement sont ordinairement en l'âme avec peine et fatigue touchant l'amour de Dieu, jusqu'à ce qu'elle arrive au degré du parfait amour, où le feu de l'amour la possède pleinement, parfaitement et suavement, sans peine de la fumée des passions et des accidents naturels; mais transformée en flamme douce qui la consume en tout cela et la change en Dieu, en qui ses mouvements et actions sont désormais divins [1]. »

Le même feu, le même saint Esprit, au début torture parce qu'il purifie et régénère, et puis béatifie :

« Il faut donc savoir qu'avant que ce feu d'amour s'introduise en la substance de l'âme et s'unisse à elle par une entière et parfaite purgation et pureté, cette flamme, qui est le saint Esprit, va battant l'âme, consumant et anéantissant les imperfections de ses mauvaises habitudes; et telle est l'opération du saint Esprit par le moyen de laquelle il la dispose à l'union

---

1. *Le Cantique spirituel*, strophe XXXIX, vers 4, p. 912; *cancion* 39, p. 807.

divine et à la transformation d'amour en Dieu. Car il faut faire état que le même feu d'amour qui, dans la suite, vient à s'unir à l'âme pour la glorifier, est celui même qui auparavant l'assaillait pour la purifier; ni plus ni moins que le feu qui pénètre le bois est celui-là même qui auparavant l'assaillait et le battait de sa flamme, le desséchant et le dénuant de ses froids accidents, jusqu'à ce que, par l'action de sa chaleur, il l'ait disposé de telle sorte qu'il puisse le pénétrer et le transformer en feu, — et ce que les personnes spirituelles appellent la voie purgative [1]. »

« Dieu qui veut entrer en l'âme pour l'unir à soi et la transformer en amour, est celui-là même qui l'assaillait auparavant et la purifiait avec la lumière et la chaleur de sa divine flamme — ainsi que le feu qui pénètre le bois est celui qui auparavant le dispose... Et partant, la flamme qui maintenant est douce à l'âme, étant au-dedans d'elle et s'en étant saisie, est celle qui auparavant lui était rigoureuse lorsqu'elle l'assaillait du dehors [2]. »

Le dogme du purgatoire est l'un de ces dogmes qui sont apparemment encore à l'état de bourgeon, et qui ont besoin d'être développés. Essentiellement, le dogme du purgatoire signifie que l'homme est appelé à prendre part à la vie de Dieu, — c'est cela que le fondateur du christianisme appelle le royaume de Dieu (*malkouta di-schemaiia*) — et que l'homme ne peut pas prendre part à la vie de Dieu s'il ne naît pas de nouveau à cette vie nouvelle. Autrement dit, l'homme ne peut pas prendre part à la vie divine à n'importe quelle condition. Certaines conditions précises sont requises, que nous avons vues : naissance nouvelle, transformation, métamorphose.

Le dogme du purgatoire est un dogme de grâce. Il signifie que si l'homme meurt sans avoir achevé la transformation qui est requise pour que l'homme puisse prendre part à la vie divine, tout n'est pas perdu, et une transformation est encore possible après la mort.

---

1. *La Vive Flamme d'amour,* strophe 1, vers 4, p. 971.
2. *Ibid.,* strophe 1, vers 4, p. 977.

Jean de la Croix a été le grand théoricien du purgatoire puisque, comme nous l'avons vu par nombre de textes, il expose quelles sont les transformations et les purifications requises pour que l'homme parvienne à la taille voulue par Dieu le Créateur. Il y a continuité entre ces purifications et transformations que nous effectuons dans la vie présente, et celles qui se continueront, si cela est nécessaire, après la mort. Autrement dit le purgatoire, dans son sens ontologique, est commencé et se continuera après la mort si cela est nécessaire.

Que l'homme ne puisse pas entrer à n'importe quelle condition et dans n'importe quel état dans le royaume de Dieu, qui n'est pas un lieu, mais une vie, la vie même de Dieu, — c'est ce qu'enseigne le rabbi galiléen qui est à l'origine du christianisme, et c'est ce qu'enseigne aussi son disciple Paul.

Par exemple lorsque le fondateur du christianisme dit :

« Vrai, je vous le dis, si vous ne vous renouvelez pas *(straphète)* et si vous ne devenez pas comme les petits enfants, vous n'entrerez pas dans le royaume des cieux » (Mt 18, 3), il enseigne une *condition* de l'entrée dans le royaume de Dieu. De même lorsqu'il dit : « Un riche entrera difficilement dans le royaume des cieux. Je vous le dis de nouveau : il est plus facile pour le chameau de passer par le trou d'une aiguille que pour un riche d'entrer dans le royaume de Dieu. » (Mt 19, 23.) Il ne veut pas dire, si nous le comprenons bien, qu'aucun riche n'entrera jamais dans le royaume, qu'un homme qui a été riche n'entrera jamais dans le royaume, — mais qu'il n'est pas possible d'entrer dans le royaume *tant qu'*on est attaché à la richesse, fixé à la richesse, *tant qu'*on n'a pas dépouillé totalement le désir de la propriété et de l'avoir, tant qu'on n'a pas renoncé totalement à la propriété, ce que la tradition ascétique et mystique va mettre en application, en commandant la pauvreté libre et volontaire intégrale. Saint Jean de la Croix va encore plus loin, puisqu'il montre qu'il faut arracher de la conscience et de l'inconscient, les « habitudes » et les « racines » par lesquelles nous sommes attachés à la richesse, ce en quoi il rejoint et explicite exactement l'enseignement du maître et fondateur du christianisme.

Lorsque Paul écrit dans sa première lettre aux chrétiens de Corinthe : « Ne savez-vous pas que les injustes n'hériteront pas le royaume de Dieu ? Ne vous trompez pas vous-mêmes : ni les débauchés, ni les idolâtres, ni les adultères, ni les efféminés, ni les pédérastes, ni les voleurs, ni les cupides, ni les ivrognes ni les avares n'hériteront le royaume de Dieu » (1 Co 6, 9), — il ne veut pas dire, si nous le comprenons bien, que ceux d'entre nous qui auront été, dans leur vie, débauchés, idolâtres, etc. n'entreront jamais dans le royaume de Dieu. Mais il veut dire, si nous l'avons bien compris : *tant que* vous serez débauchés, idolâtres [...] et avares, — vous ne pouvez pas entrer dans le royaume de Dieu.

Ce n'est pas qu'il y ait un policier ou un douanier qui garde l'entrée du royaume de Dieu à tous ceux qui sont tels. Mais c'est que ceux qui sont tels ne sont pas aptes, ne sont pas capables en leur être, de prendre part à la vie de Dieu.

Si l'on est tel et tel au départ, il est donc nécessaire, pour entrer dans le royaume de Dieu, c'est-à-dire pour pouvoir prendre part à la vie divine, de se transformer de fond en comble, dans sa conscience et dans son inconscient, et jusqu'au fond de l'être, pour pouvoir entrer dans le royaume de Dieu.

C'est une condition non pas juridique, mais ontologique.

De même dans sa lettre aux Galates (5, 16), lorsque Paul écrit : « Marchez selon l'esprit, et n'accomplissez pas le désir de la chair (c'est-à-dire du vieil homme)... Elles sont manifestes les œuvres de la chair : la débauche, ... l'idolâtrie, la haine, la jalousie... les hérésies... etc. Je vous préviens comme je vous ai déjà prévenus : ceux qui font cela n'hériteront pas le royaume de Dieu. » (Cf. aussi Eph 5, 5.)

Tant que l'homme est tel, il ne peut pas entrer dans le royaume de Dieu. Il existe des conditions à l'entrée dans le royaume, et ces conditions se ramènent à une seule : la sainteté, à savoir le renouvellement total de tout l'être, conscient et inconscient. Tant que ces conditions ontologiques ne sont pas remplies, il n'est pas possible à l'homme d'entrer dans le royaume. S'il meurt avant d'avoir opéré ce renouvellement de tout son être, tout n'est pas perdu, il reste l'espoir d'un renouvellement après la mort. C'est cela le dogme du purgatoire, dont Jean de la Croix a été le théoricien.

Finalement, le terme de toute cette longue et douloureuse opération de purification et de transformation en l'âme, c'est l'illumination de l'esprit créé par l'Esprit incréé, la divinisation de l'être créé, et l'information de l'âme humaine par Dieu. Saint Jean de la Croix, comme saint Thomas d'Aquin son maître en philosophie, joue sur tout le clavier de la famille des mots : forme, transformation, information, réformation. C'est l'ascèse qui est le seul moyen de cette réformation, transformation et information, et c'est Dieu qui opère :

« Ce n'est autre chose qu'illuminer l'entendement d'une lumière surnaturelle, en sorte que l'entendement humain se fasse divin, étant uni avec le divin; et, ni plus ni moins, informer la volonté avec l'amour divin *(informarle la voluntad de amor divino),* de manière que la volonté ne soit pas moins que divine, n'aimant pas moins que divinement, faite et unie en un avec la volonté et l'amour divin; et la mémoire pareillement, comme aussi les affections et les appétits sont tous changés et rendus selon Dieu, divinement. Et ainsi cette âme sera désormais une âme du ciel, céleste et plus divine qu'humaine. Or, Dieu fait et opère tout cela en l'âme [...] par le moyen de cette nuit, l'illustrant et l'enflammant divinement avec des angoisses de Dieu seul, et non d'aucune autre chose [1]. »

Dans la personne du christ, la conscience humaine, l'intelligence humaine, la volonté humaine, sont unies librement à la nature divine, à la volonté divine, sans confusion, sans séparation. Chez l'homme créé parvenu au terme de la destinée que Dieu le créateur lui assigne, une union analogue

1. *La Nuit obscure,* II, XIII, 11, p. 595.

de l'homme à Dieu est réalisée par Dieu avec le consentement et la coopération de l'homme. C'est cela le christianisme : l'extension à l'humanité entière de ce qui a été réalisé dans le christ. C'est en quoi le christ est la cellule-mère, le Germe de l'humanité nouvelle, qui est en développement aujourd'hui dans l'Église.

Ce n'est pas un hasard si, au xxe siècle, le métaphysicien qui a compris que l'ontologie appariée à la réalité objective, qui est en genèse, devait être une ontologie génétique, et qu'une telle ontologie génétique impliquait l'existence d'une normative qui commande au développement ultérieur, ce n'est pas un hasard si ce métaphysicien-là est celui qui a, nous semble-t-il, le mieux compris la signification ontologique et, mieux, ontogénétique, de la doctrine de l'ascèse proposée et exposée par saint Jean de la Croix, dont il était d'ailleurs nourri.

Nous n'allons pas exposer ici ce qu'a été l'ontologie génétique de Maurice Blondel[1]. Rappelons seulement que lors de la grande controverse entre Maurice Blondel et son ami très cher le père Lucien Laberthonnière, la discussion a porté principalement sur la signification et la fonction ontogénétique de l'ascèse dans le processus créateur et divinisateur[2].

Les conditions métaphysiques, ontologiques, de la création par Dieu l'Unique d'êtres divinisables, capables de prendre part à sa propre vie, tel a été l'objet fondamental de la méditation de celui qui a été l'un des plus grands métaphysiciens chrétiens. Or, Maurice Blondel l'a vu, l'ascèse et la mort au sens ascétique du terme, font partie des conditions de réalisation de ce dessein créateur et divinisateur.

1. Nous l'avons tenté dans notre *Introduction à la métaphysique de Maurice Blondel*, Paris, Éd. du Seuil, 1963.
2. Cf. MAURICE BLONDEL-LUCIEN LABERTHONNIÈRE, *Correspondance philosophique*, Paris, Éd. du Seuil, 1962, chap. IV, et aussi notre étude : *la Crise et le Développement de la pensée chrétienne dans les premières années du XXe siècle* (à paraître).

C'est ce qu'il tente d'expliquer à partir de 1921 à son ami le père Lucien Laberthonnière. Par exemple dans une lettre datée du 26 février 1921, Blondel écrit à celui-ci :

« Je conçois l'action surnaturelle de Dieu tout autrement que comme une bonté paterne, se donnant juste assez pour permettre à la créature de s'épanouir au soleil de la charité, mais sans atteindre à l'Unité, à l'Hymen, à la configuration absolue et concentrique. Or, pour peu qu'on médite sur cette déification effective, il faut dire avec saint Jean de la Croix que, Dieu étant ce qu'Il est, l'élévation surnaturelle de l'homme n'est concevable, n'est possible que par un travail tout autre que celui de la simple expansion ou de la simple communication morale des volontés [1]... »

Quelques jours plus tard, le 10 mars 1921, Maurice Blondel revenait sur ce même problème :

« Il ne faut pas s'imaginer que le passage de l'homme à Dieu se fasse pour ainsi dire de plain-pied; qu'il s'agisse de deux volontés identiques ou égales à échanger et à fondre, par simple bonne disposition mutuelle; qu'il y ait en même temps comme des personnes, constituées en elles-mêmes moralement, et arrivant à s'unifier moralement, tout dépendant en somme de l'orientation morale de volontés définies en fonction de leur simple intention idéale; il faut, selon moi [...] tenir compte de l'hétérogénéité *naturelle,* de Dieu et de l'homme, il faut déterminer le caractère intrinsèquement surnaturel de l'union qui, par l'invention merveilleuse de la charité, remédiera à cette incommensurabilité... Il faut apercevoir les conditions, non d'une simple amitié de consentement entre l'homme et Dieu, mais d'une intussusception de l'homme par Dieu et de Dieu par l'homme [2]... »

Deux ans plus tard, le 7 mars 1923, Maurice Blondel continue de creuser le même problème métaphysique des conditions ontologiques de réalisation du dessein de Dieu, et il écrit au p. Laberthonnière :

« Il s'agit de savoir comment nous *allons,* nous *aboutissons*

1. MAURICE BLONDEL-LUCIEN LABERTHONNIÈRE, *Correspondance philosophique,* Paris, Éd. du Seuil, 1961, p. 279.
2. *Correspondance philosophique,* p. 284.

à lui, comment nous *devenons d'autres lui-même* [...] Dieu ne vient pas seulement à l'homme, pour l'homme et dans l'homme. Il fait de l'homme plus qu'un homme. Et c'est cette opération-là qui explique, mieux que des jeux de concepts et des ratiocinations morales, les *épreuves mystiques* [1]...

Dans une note envoyée par Blondel le 14 avril 1923, le philosophe écrit à son ami :

« Vous concluez expressément qu'il n'y a pas à distinguer " le don du Créateur " du " don de l'Incarnation et de la Rédemption ", qu'il y a continuité, pour ne pas dire unité entre l'ordre dit naturel et l'ordre dit surnaturel... — Or, pour ma part, je crois qu'en fait il y a un abîme à franchir, et pour ne pas le voir il faut ne pas *réaliser in concreto* ce qu'est Dieu. Je crois que l'amour divin a trouvé le moyen de *communiquer l'incommunicable,* non pour opprimer et abrutir l'homme, mais au contraire pour se l'unir, dans l'intimité d'une union qui se moque de toutes les différences et de toutes les essences... L'homme n'a pas à être déifié seulement humainement et par analogie, il a à être " élevé " à ce qui est innaturalisable, unique, transcendant, littéralement divin. Dieu ne peut pas faire qu'Il ne soit pas lui. Et pour nous faire à Lui, pour nous faire Lui, il y a une épreuve, une transformation d'amour à pâtir et à vouloir, afin que cet Incommunicable se communique sans cesse d'être Lui et sans que nous cessions d'être nous. Il y a un *sens éternel* en cette passion bienfaisante, déifiante [2]. »

Le 17 octobre 1923, Blondel écrit encore à Laberthonnière :

« Quelque bon, quelque " communicatif " que soit Dieu, il est et ne peut pas ne pas être un *hapax,* un *Unicum quid;* son être n'est tout de même pas sur le même plan que nos êtres, quelque richement dotés qu'ils soient par Lui d'abord pour assurer notre subsistance propre, notre appartenance, notre excellence. En un premier sens il y a incommensurabilité indélébile; et cela est heureux, cela résulte de la bonté même,

---

1. *Correspondance philosophique,* p. 307.
2. *Ibid.,* p. 310.

comme nous allons le voir, puisque pour pouvoir impunément se communiquer tel qu'il est, Dieu doit d'abord assurer la solidité de notre existence personnelle et de notre conscience propre. L'affirmation préalable de la distinction et de l'incommensurabilité permet seule ce que certains théologiens appellent " la Communication de l'Incommunicable même ", cette union transformante qui nous rend *déiformes, consortes naturae divinae,* Surhommes, sans cesser d'être hommes, *théandriques, creatura nova.* C'est donc pour prévenir l'absorption et pour permettre une union infiniment intime que l'on doit distinguer dans la fusion même et qu'on peut discerner légitimement comme une double démarche de mortification et d'intussusception divine : rien, en cela, d'une brimade, mais non plus, rien d'un simple épanouissement [1]. »

Enfin, le 14 avril 1925, Blondel écrit à son ami :

« L'Évangile, si pleinement humain qu'il soit, a cependant pour trait spécifique d'apporter l'obligation d'un *denuo nasci* (la nouvelle naissance), " impossible à l'homme ", d'annoncer une " grâce ", de faire connaître un " excès " de Dieu et une " destinée inédite ". Il s'agit ou d'accorder une signification à cette " révélation " ou de rester dans le domaine d'une sagesse a-chrétienne; et j'appelle ainsi même celle qui ne verrait dans le christ qu'un paradigme moral et qu'un " frère aîné " valant par ses exemples, non par son action intime et *transformante,* proprement déificatrice [2]. »

Dans le livre de l'*Exode,* on peut lire un texte mystique qui a été commenté par Jean de la Croix.

Dans ce texte, « Yhwh dit à Moïse : Va, monte d'ici, toi et le peuple que j'ai fait monter du pays d'Égypte, vers le pays au sujet duquel j'ai juré à Abraham, à Isaac et à Jacob, en disant : à ta semence je le donnerai! » « Alors, poursuit le texte, Yhwh parlait à Moïse face à face, *panim el panim,* comme parle un homme avec son compagnon ». Moïse dit à Dieu : « Fais-moi donc voir ta gloire! » Dieu répond :

---

1. *Correspondance philosophique,* p. 311-312.
2. *Ibid.,* p. 326.

« Moi je ferai passer tout ce que j'ai de bon devant toi et je prononcerai le nom de Yhwh devant toi... Puis il dit : Tu ne peux voir ma face, car il ne me verra pas, l'homme *(haadam)*, et vivra* » (c'est-à-dire : l'homme ne peut me voir et vivre) (Ex 33).

Ce qui signifie, semble-t-il, deux choses :

1. Si Dieu se manifestait à l'homme, dans l'existence présente d'une manière personnelle, directe, et sans voile, cela le tuerait.

2. Pour accéder à la vue de l'essence divine, il faut d'abord mourir, au sens empirique de ce terme, et au sens mystique dégagé par les théologiens et métaphysiciens chrétiens : mourir au vieil homme. La mort, en ces deux significations, est la condition d'accès à la vue de l'essence divine[1].

Après cela, bien entendu, le célèbre et classique problème du mal se trouve renouvelé en sa problématique même. Rappelons brièvement comment se pose, depuis au moins vingt siècles, ce problème qui est une machine de guerre contre le monothéisme. Depuis les origines chrétiennes, jusqu'aujourd'hui les adversaires du monothéisme argumentent ainsi : si Dieu existe, tel que le comprennent les monothéistes juifs, chrétiens et musulmans, c'est-à-dire transcendant, tout-puissant, créateur et bon, comment comprendre l'existence du mal dans le monde, plus précisément dans l'histoire humaine ? Toujours, depuis le commencement, les adversaires du monothéisme hébreu argumentent comme si, selon le monothéisme hébreu, le but et le terme final de la création était de placer l'homme créé dans un jardin — la planète terre — pour qu'il y soit heureux, en vivant confortablement une existence paisible et sans douleur. Ainsi la guerre, la peste ou la maladie, et la famine, deviennent des fléaux qui sont autant d'arguments contre ce prétendu Dieu créateur. Mais il faut répondre que le monothéisme issu d'Abraham

---

1. Ce texte de l'Exode est commenté par Jean de la Croix, *Le Cantique spirituel,* strophe XI, vers 1, trad. cit., p. 751.

et des prophètes hébreux n'a jamais enseigné que le but de la création de l'homme était l'installation de l'homme sur cette planète. Il enseigne au contraire expressément — c'est cela le sens profond de toute l'aventure mystique de ce peuple qui remonte à Abraham — que le but et le terme visé par le Créateur va beaucoup plus haut et beaucoup plus loin. C'est cela que les prophètes hébreux et les mystiques chrétiens ont bien compris. Dieu ne se contente pas, pour nous, de ce dont nous nous imaginons, à tort, que nous pourrions nous contenter, à savoir une vie tranquille et confortable sur notre minuscule planète. Si c'était cela le dessein créateur de Dieu, il serait dérisoire, car notre minuscule planète n'est pas construite pour durer encore bien longtemps. Le but et le sens du dessein créateur, nous l'avons vu, c'est d'élever l'être créé jusqu'à la participation à la vie même de l'Incréé. Il y a donc arrachement, mais tout ce qui nous arrache et nous déchire en cette existence présente n'est pas forcément, du point de vue de cette perspective génétique, un mal. Bien au contraire, le pire des maux, c'est l'installation dans la terre d'Égypte, le contentement de ce qui est provisoire et éphémère, la fixation à un ordre périmé.

Le problème du mal est donc mal posé par les adversaires du monothéisme hébreu, juif et chrétien. Il est mal posé par eux parce qu'ils ignorent la signification et la finalité de l'œuvre créatrice, son terme ultime, et qu'ils raisonnent comme si nous devions nous installer sur cette minuscule planète. Si cela était, alors tous les fléaux, naturels et ceux provoqués par l'homme, seraient des objections décisives à l'égard du Dieu d'Abraham. Mais il n'en est pas ainsi, et le monothéisme issu d'Abraham n'a pas pour perspective ultime l'installation, mais la divinisation.

Dans cette nouvelle perspective, tout change de sens, il y a véritablement permutation des valeurs. Ce qui semblait échec aux yeux de la conscience installée, ou « mondaine », peut devenir source de réussite ultime. Ainsi la vie des prophètes hébreux peut sembler un échec du point de vue d'un système de valeurs où la richesse, le confort, l'installation, une longue vie paisible, sont les valeurs suprêmes. Ainsi la vie des mystiques chrétiens, toute de pauvreté consentie, de tribulations, de persécutions, de dénuement, est un échec aux yeux de la conscience mondaine. Mais du point de vue de l'efficacité finale, du point de vue de la puissance et de la vie, Abraham et les prophètes hébreux, les mystiques chrétiens, sont, eux, créateurs d'une humanité nouvelle, ou du moins coopérateurs de cette genèse. Leur fécondité est inépuisable à travers les siècles. Ils ont pu ne pas avoir d'enfants en leur temps. Ils en ont des milliers aujourd'hui.

Et par contre, ce qu'on appelle réussite dans le langage mondain, peut être en réalité la pire des catastrophes, si cette réussite conduit à un contentement, à une satisfaction, qui rend aveugle à l'unique destinée de l'homme, à son seul avenir, si cette réussite provoque un oubli de l'unique destinée de l'homme.

Du point de vue, donc, où nous place la science des mystiques chrétiens, le problème du mal se trouve totalement transformé en ses positions mêmes. L'unique mal, ce n'est pas, nous l'avons vu, et loin de là, la mort empirique, c'est ce que l'auteur de l'Apocalypse a appelé la seconde mort, c'est-à-dire le fait de manquer l'unique destinée, l'unique avenir de l'homme, parce qu'on s'est contenté de trop peu. C'est vendre son droit d'aînesse pour une soupe de lentilles.

5

INCONSCIENT, PSYCHOTHÉRAPIE
ET NOUVELLE NAISSANCE

Il existe plusieurs niveaux, ou ordres, ou régions de l'inconscient. D'abord, le plus profond, l'inconscient biologique organisateur. Tout organisme est un psychisme. Il est impossible de dissocier le biologique du psychologique.

Notre organisme est en travail, que nous dormions ou que nous veillions, et plus aisément lorsque nous dormons que lorsque nous veillons. Il sait faire, l'organisme que nous sommes, des millions d'opérations biologiques, biochimiques réglées entre elles, que nous découvrons petit à petit, dans le livre de la nature, comme des enfants qui apprennent à lire péniblement. Or ce livre, c'est nous-mêmes. Le paradoxe est éclatant : nous *savons* faire, organiquement, des millions d'opérations biochimiques, — anabolisme et catabolisme, — que nous ne connaissions pas hier, que nous ne savons pas refaire dans nos laboratoires, que la plupart d'entre nous ignoreront toujours.

Un très grand biologiste, mort il y a quelques années, exprimait en ces termes le paradoxe de l'intelligence inconsciente organisatrice :

« L'intelligence a deux aspects : l'inconscient et le conscient. C'est le premier, l'inconscient, qui dirige l'évolution et le développement; le conscient n'existe que chez l'animal développé et construit qui gagne sa vie, et ne la gouverne que dans ses relations extérieures. Il n'est, en effet, qu'une fonction de l'inconscient, limitée à l'organisation cérébrale... Le conscient et l'inconscient font tous deux partie de l'irritabilité primitive de la substance vivante. Le conscient dirige les relations extérieures de l'animal constitué, obligé de gagner sa vie; il protège l'organisme, utilise les informations recueillies et enregistrées par l'inconscient sur l'ambiance, et procède à la captation de l'aliment. L'inconscient préside, dans tout l'organisme, aux fonctions créatrices de riposte et de choix, que sont l'assimilation, l'immunisation et l'adaptation... C'est l'inconscient qui, clandestinement, chimiquement, dans l'intimité des fonctions macromoléculaires enzymatiques, fournit au conscient à la fois le logement cellulaire cérébral, et l'enregistrement des éléments d'information qui préparent ses réalisations. Le conscient n'est ainsi qu'une fonction de l'inconscient et n'est qu'individuel, post-natal, non-héréditaire... L'intelligence inconsciente doit être considérée comme la chose la plus extraordinaire du monde; car, assurant à la fois la nutrition, la reproduction, l'hérédité et l'évolution, elle est la vie même, non pas seulement dans l'actualité, mais depuis son origine et à travers les millénaires de son passé[1]. »

Dans les programmations transmises par nos parents se trouvent des instructions concernant non seulement le développement embryonnaire — l'ontogenèse —, non seulement le comportement biologique des milliards de cellules qui nous constituent, mais aussi des comportements psychologiques. L'enfant qui vient de naître sait téter sans que personne le lui ait appris. C'est un comportement programmé et transmis par la voie génétique. Mais il en existe bien d'autres, que la psychologie animale, depuis quelques dizaines d'années, met en relief, en nous montrant, dans nos propres comportements politiques, sociaux, inter-individuels, des schèmes qui remontent très haut dans l'histoire naturelle des espèces vivantes. Celui qui adore un chef prestigieux, un roi, un empereur, s'imagine peut-être qu'il a une conduite proprement humaine ? Il est en fait un somnambule qui obéit à de très vieilles programmations, il rejoue de très vieux gestes, que l'on trouve tout formés dans quantité d'espèces animales antérieures à l'homme.

Dans notre inconscient se trouve vraisemblablement ins-

---

1. P. WINREBERT, *Le Vivant créateur de son évolution*, Paris, 1962, p. 360-361.

crit, peu ou prou, tout le passé de l'évolution biologique, tout comme ce passé se trouve inscrit, au moins partiellement, dans notre structure organique, par le fait que notre développement embryogénétique reproduit, plus ou moins complètement, l'histoire antérieure de la vie. Si notre organisme se souvient du passé de la vie, notre psychisme inconscient doit s'en souvenir aussi, car le psychisme et l'organisme ne font qu'un en réalité. Ils ne sont pas dissociables.

Ce corps vivant, cet organisme que je suis (et non pas : que j'ai) est mystère pour moi qui le suis, au sens du mot " mystère " que nous avons dégagé dans le langage de la théologie chrétienne : il est d'une infinie complexité et richesse en intelligibilité. Le biologiste, le biochimiste découvrent en tâtonnant, ils épellent les premières lettres de ce poème subsistant que je suis, moi organisme vivant. Et cependant, tout cela, que nous sommes, nous ne le savons pas, nous ne le connaissons pas d'une manière consciente et réfléchie. Notre inconscient fondamental, c'est notre organisme, cet organisme que nous sommes et qui sait faire ce que nous ne savons pas.

Il est possible — hypothèse de travail — que l'antique dualisme anthropologique dont nous trouvons l'expression dans ce qui nous reste de la littérature et tradition orphiques, dans la tradition pythagoricienne, dans les fragments d'Empédocle, avant de le retrouver dans certains dialogues de Platon, puis dans le néoplatonisme et dans les divers systèmes gnostiques, l'antique schéma qui oppose « l'âme » et le « corps », il est possible qu'il provienne de ce paradoxe et des conflits qui résultent en nous de cette part inconsciente qui est notre corps, avec ses antiques programmations et pulsions, dans ses relations avec la part consciente. Il traduirait en somme, dans un langage chosiste, les conflits entre l'inconscient et le conscient, en substantifiant l'un et l'autre, en valorisant le conscient contre l'inconscient biologique et organique.

Mais il existe encore d'autres demeures dans l'inconscient de l'homme.

S'il est vrai, comme le pense toute la tradition du prophétisme hébreu, la tradition juive, la tradition chrétienne, que l'homme est un animal appelé à une destinée proprement surnaturelle, à savoir la participation à la vie de Dieu, l'homme doit être aussi, pour parler le langage d'aujourd'hui, « programmé » pour cette destinée. C'est-à-dire que dans sa structure même, dans son dynamisme, on doit trouver les traces, les pierres d'attente, les " préformations " comme disent les biologistes, les anticipations, les arrhes de cette destinée future. L'homme, dans sa construction naturelle, doit être *préadapté* à cette destinée surnaturelle, et l'analyse objective doit pouvoir déceler cette préadaptation foncière de l'animal humain à sa destinée surnaturelle.

Cela n'est pas forcément conscient, bien loin de là. Au départ, cela n'est certainement pas conscient. Cela est, dans la structure, dans l'être, dans la constitution, dans le dynamisme du psychisme humain, mais cela n'est pas encore connu d'une manière réflexive.

L'analyse philosophique, ou, si l'on préfère, l'analyse rationnelle fondée sur l'expérience, et sans tenir compte du fait de la révélation, autrement dit une anthropologie positive, de base expérimentale, mais fidèle à la totalité du réel humain, montre que l'homme est construit pour cette destinée surnaturelle que la théologie ou la révélation enseignent par ailleurs.

L'analyse en profondeur de ce qu'est l'homme ne prouve pas qu'il y ait, ou qu'il existe, pour l'homme une destinée surnaturelle. Mais l'analyse en profondeur et complète de ce qu'est l'homme montre que l'homme est construit pour, ou préadapté à cette destinée surnaturelle.

Que l'homme soit appelé ou invité à une destinée surnaturelle et proprement divine, seul le Créateur de toute l'œuvre cosmique peut nous le dire, car c'est ce qu'il a l'intention de faire, et à partir de la réalité cosmique, physique, biologique et humaine, passée et présente, on peut savoir beaucoup de choses sur lui, mais on ne peut pas discerner avec certitude ce qu'il a l'intention de faire dans l'avenir. C'est-à-dire que l'analyse rationnelle de ce qui était ou de ce qui est n'est pas prophétique. Le prophète c'est l'homme qui reçoit de Dieu le Créateur la science de ce que le Créateur va faire. La philosophie n'est pas prophétique. Mais la théologie est essentiellement prophétique parce qu'elle est fondée sur l'enseignement que Dieu le Créateur a communiqué aux prophètes.

Entre l'œuvre de la création passée et présente, et l'œuvre de la création à venir, il existe des corrélations, des préadaptations du passé et du présent à l'avenir. L'analyse rationnelle du passé et du présent de la création ne peut pas deviner ce qu'il est dans les intentions de Dieu de créer dans l'avenir, mais elle peut indiquer les préadaptations. Ainsi l'analyse rationnelle, et fondée dans l'expérience, de ce qu'est l'homme, peut signaler que l'homme est construit pour une destinée surnaturelle. Cela se voit dans sa composition profonde, dans le dynamisme de tout son être, de sa pensée, de son agir. Cela est lisible en particulier dans l'analyse du désir.

Toute la tradition mystique chrétienne, en particulier saint Augustin et saint Thomas d'Aquin, ont dégagé ce déséquilibre de l'homme, cette instabilité foncière, cette insatisfaction radicale, tant qu'il n'a pas atteint sa fin unique, à savoir la participation à la vie de Dieu. Saint Thomas a montré qu'aucun des désirs de l'homme, le désir de la femme, le désir de la fortune, le désir de la puissance et de la domination, le désir de la gloire, ne suffisent, si même ils sont assouvis, à combler ce que désire le cœur de l'homme. Ce que désire le cœur de l'homme, qu'il le sache explicitement ou non, ce n'est rien moins que ce que, par ailleurs, la révélation enseigne, à savoir cette fin surnaturelle.

En 1893, un jeune homme appelé Maurice Blondel publiait un ouvrage intitulé : *l'Action*. Dès l'introduction de cet ouvrage, ce jeune homme, qui n'avait pas lu Freud, et pour cause, écrivait ceci :

« De quoi s'agit-il en effet ? de savoir si en dépit des évidentes contraintes qui nous oppriment, si à travers les obscurités où il nous faut marcher, si jusqu'aux profondeurs de la vie inconsciente d'où émerge le mystère de l'action comme une énigme dont le mot sera peut-être terrible, si dans tous les égarements de l'esprit et du cœur il subsiste, malgré tout, le germe d'une science et le principe d'une intime révélation, telle que rien n'apparaîtra d'arbitraire ou d'inexpliqué dans la destinée de chacun, telle qu'il y aura consentement définitif de l'homme à son sort quel qu'il soit, telle enfin que cette clarté révélatrice des consciences ne changera pas dans leur fond ceux mêmes qu'elle accablera comme par surprise. A la racine des plus impertinentes négations ou des plus folles extravagances de la volonté, il faut donc rechercher s'il n'y a pas un mouvement initial qui persiste toujours, qu'on aime et qu'on veut, même quand on le renie et même quand on en abuse. C'est en chacun qu'il est nécessaire de trouver le principe du jugement à porter sur chacun... En chacune (des consciences), sous les sophismes ignorés et les défaillances inavouées, il faut retrouver la primitive aspiration, afin de les conduire toutes, en pleine sincérité, jusqu'au terme de leur élan volontaire [1]... »

Mais ce n'est pas tout encore. Si l'homme est un animal appelé, invité, à une destinée surnaturelle, non seulement cela doit se percevoir à l'analyse de son dynamisme le plus profond, par lequel il est préadapté à cette fin surnaturelle. Mais, de plus, Dieu doit travailler en secret dans les secrets du cœur de l'homme. Ces demeures secrètes où Dieu opère, les maîtres de la vie mystique les ont reconnues, en ont reconnu l'existence. Cela fait partie aussi de l' « inconscient » de l'homme : le lieu secret où Dieu opère, communique sa grâce, sollicite, oriente, guide, stimule, éclaire et rend intelligent.

L'inconscient, ce n'est donc pas seulement le « refoulé », loin de là. Il y a dans l'inconscient de l'homme plusieurs demeures. C'est cette analogie des demeures que développe Thérèse d'Avila dans son ouvrage, le Château intérieur :

« Aujourd'hui, comme je suppliais le Seigneur de parler à ma place, puisque je ne trouvais rien à dire, ni comment entamer cet acte d'obéissance, s'offrit à moi ce qui sera, dès le début, la base de cet écrit : considérer notre âme comme un château fait tout entier d'un seul diamant ou d'un très clair

---

1. Maurice Blondel, L'Action, 1893, p. xx.

cristal, où il y a beaucoup de chambres, de même qu'il y a beaucoup de demeures au ciel...

« Considérons donc que ce château a, comme je l'ai dit, nombre de demeures, les unes en haut, les autres en bas, les autres sur les côtés ; et au centre, au milieu de toutes, se trouve la principale, où se passent les choses les plus secrètes entre Dieu et l'âme [1]. »

Certains êtres sont et vivent à l'extérieur d'eux-mêmes, et ne pénètrent pas dans leur propre fond. Ils ne se connaissent donc pas eux-mêmes, ils ne connaissent pas les demeures les plus secrètes qu'ils recèlent en eux-mêmes : Ils sont comme étrangers à eux-mêmes, aliénés :

« Donc, pour revenir à notre [...] château, nous devons voir comment nous pourrons y pénétrer. J'ai l'air de dire une sottise : puisque ce château est l'âme, il est clair qu'elle n'a pas à y pénétrer, puisqu'il est elle-même ; tout comme il semblerait insensé de dire à quelqu'un d'entrer dans une pièce où il serait déjà. Mais vous devez comprendre qu'il y a bien des manières différentes d'y être ; de nombreuses âmes sont sur le chemin de garde du château, où se tiennent ceux qui le gardent, peu leur importe de pénétrer à l'intérieur, elles ne savent pas ce qu'on trouve en un lieu si précieux, ni qui l'habite [2]... »

Nous avons vu déjà dans plusieurs textes que pour Jean de la Croix la cure de l'âme qui est nécessaire à sa transformation et à sa divinisation consiste d'abord à faire sortir à la lumière ce qui était caché, à manifester ce qui était dans le fond de l'être. La thérapeutique de l'âme s'effectue par une prise de conscience de ce qu'elle recèle sans le savoir :

« ... Dieu lui met le cœur sur le brasier afin de l'affranchir de toute sorte de démons, et faire sortir au jour et en évidence toutes ses infirmités, les mettant en état d'être pansées et guéries, et les lui proposant devant les yeux pour les reconnaître.

« Ainsi l'âme commence désormais à voir et sentir par le moyen de la lumière et de la chaleur de ce feu divin les fai-

1. Thérèse d'Avila, *Le Château intérieur*, 1res demeures, chap. I, 1, p. 871.
2. *Ibid.*, 1res demeures, chap. I, 5, p. 873.

blesses et misères qui lui étaient auparavant cachées et qu'elle tenait couvertes au-dedans de soi sans les apercevoir ni les sentir. Ni plus ni moins que l'humidité qui était au bois n'était point reconnue jusqu'à ce que le feu soit venu à donner dedans et à le faire suer et fumer et crépiter[1]. »

La pénétration de la lumière du saint Esprit dans les ténèbres de l'âme provoque de la part de celle-ci une *résistance*, qui peut être violente, et nous savons qu'elle peut aller jusqu'à la détestation. C'est lorsque cette lumière pénètre en elle que l'âme reconnaît ses propres ténèbres qui auparavant lui étaient inconscientes. Seule la lumière surnaturelle du saint Esprit permet de reconnaître ce qui se trouve au fond de l'âme humaine :

« Parce que, comme cette flamme est extrêmement claire, venant à assaillir l'âme, sa lumière luit à travers les ténèbres de l'âme, qui sont aussi extrêmement épaisses, et alors elle reconnaît ses ténèbres naturelles et vicieuses, qui se bandent contre la lumière surnaturelle — laquelle l'âme ne sent point, parce qu'elle ne la possède point au dedans de soi, comme elle fait ses propres ténèbres, qu'elle a dedans soi et qui ne peuvent pas comprendre cette lumière. Et par ce moyen, à mesure que cette lumière assaillira ses ténèbres, l'âme les sentira; parce que les âmes ne peuvent découvrir leurs ténèbres que si elles sont éclairées de la lumière divine[2]... »

Dans l'un des premiers chapitres du quatrième évangile, on peut lire un texte qui se traduit ainsi : « La lumière est venue dans le monde, et les hommes ont aimé davantage la ténèbre que la lumière, car leurs œuvres étaient mauvaises » (Jn 3, 19). Ici, il s'agit bien de « refoulé », mais ce qui est refoulé, ce ne sont pas les souvenirs de la petite enfance, dans l'oubli, ni les instincts, — c'est la lumière elle-même qui est repoussée, rejetée, par un processus dans lequel entrent en jeu une authentique responsabilité morale, une préférence, une option, l'acte d'une liberté. Il s'agit de se cacher à soi-même quelque chose.

---

1. *La Vive Flamme d'amour*, strophe 1, vers 4, p. 974.
2. *Ibid.*, strophe 1, vers 4, p. 974-975.

Non seulement sous l'influence de cette lumière du saint Esprit l'âme découvre ses propres ténèbres intérieures, mais de plus elle reconnaît sa propre dureté au contact de l'attouchement du saint Esprit :

« Et parce que cette flamme est extrêmement amoureuse et tendre de sa nature et qu'elle attaque la volonté d'une façon tout amoureuse — et que par ailleurs la volonté est extrêmement sèche et dure de soi-même et que ce qui est dur se reconnaît étant approché de ce qui est tendre, et la sécheresse aussi, étant approchée de l'amour — de là vient qu'à mesure que cette flamme amoureuse et tendre assaille la volonté, la volonté reconnaît sa propre dureté et sa sécheresse aux choses de Dieu, sans s'apercevoir ni de l'amour ni de la tendreur de la flamme [1]... »

Non seulement, au contact de la lumière du saint Esprit, l'âme reconnaît ses ténèbres cachées et sa dureté, mais elle découvre aussi ses limites, sa petitesse. Elle découvre son exiguïté dans le travail même par lequel le saint Esprit la dilate :

« En outre comme [...] cette flamme est de grande étendue et sans mesure, et qu'au contraire la volonté est petite et étroite, en même temps que la flamme vient à l'investir, elle sent sa petitesse et son étroitesse, jusqu'à ce que la flamme venant à donner au dedans d'elle, la dilate, l'élargit et la rend capable de recevoir en soi cette même flamme [2]... »

Toujours sous l'influence et l'action du saint Esprit qui la travaille secrètement, l'âme reconnaît son indigence radicale :

« Enfin, parce que cette flamme est pleine de bonté, de richesses et de délices immenses, et que l'âme de son côté est très pauvre et n'a aucun bien ni aucun moyen de se satisfaire, il s'ensuit que s'approchant de ces richesses, de cette bonté et de ces délices, elle connaît et aperçoit clairement ses misères, sa pauvreté et sa malice, mais elle ne connaît pas les richesses, la bonté et les délices de cette flamme (parce que la malice ne peut comprendre la bonté; ni la pauvreté les richesses) jusqu'à ce que cette flamme achève tout à fait de

---

1. *La Vive Flamme d'amour*, strophe I, vers 4, p. 975.
2. *Ibid.*, strophe I, vers 4, p. 976.

purifier cette âme et lui communique ses richesses, sa gloire et ses délices, par le moyen d'une entière transformation. De cette manière, cette flamme était, au commencement, plus fâcheuse à l'âme qu'il ne se peut exprimer, attendu qu'elle sentait en soi deux partis contraires qui se faisaient la guerre, savoir est : Dieu qui est toutes les perfections, contre toutes les habitudes imparfaites de l'âme, afin que la transformant en soi il l'adoucît, la pacifiât et l'éclaircît de la même façon que fait le feu quand il pénètre le bois [1]. »

La prise de conscience de l'âme par elle-même, la découverte de l'âme par elle-même sous l'influence du saint Esprit, la découverte de ses propres ténèbres, de sa dureté, de son indigence, de son étroitesse, toute cette connaissance de ce qui était— et l'âme ne le savait pas, — c'est cela que les mystiques chrétiens appellent humilité : une connaissance authentique, lucide, impitoyable, de ce qui est. Ce n'est donc pas simplement une vertu morale, mais une connaissance ontologique, qui porte sur l'être même de l'âme. Et c'est la raison pour laquelle les mystiques chrétiens attachent tant d'importance à cette vertu, qui est la condition indispensable de toute transformation. Comme l'écrit Thérèse :

« Un jour où je me demandais pour quelle raison notre Seigneur aime tant cette vertu d'humilité, sans réflexion préalable ce me semble, ceci, soudain, me parut évident : Dieu est la suprême Vérité, et l'humilité, c'est être dans la vérité [2]. »

Saint Jean de la Croix ne parle que très rarement du péché originel, et il ne dit jamais, nous l'avons déjà noté, que si nous devons opérer la transformation que nous avons vue, si nous devons consentir à la cure que nous venons d'indiquer, si nous partons de là où nous sommes, c'est que l'homme est « tombé » d'une condition transcendante à une condition inférieure. Mais en décrivant comme il le fait l'état de l'homme avant le travail de la purification, de la transformation et de la divinisation, il nous fournit sans doute le meilleur exposé qui soit, en tout cas le plus expérimental, de ce qu'en théolo-

---

1. *La Vive Flamme d'amour,* strophe 1, vers 4, p. 976-977.
2. *Le Château intérieur,* 6es demeures, chap. x, 7, p. 1008.

gie catholique on appelle le péché originel, car dans cette théologie le péché originel n'est pas une « histoire » arrivée aux origines de l'humanité, ni même une « chute », mais précisément *l'état* de l'homme, l'état dans lequel naît l'homme, avant que commence le travail qui le conduit à sa nouvelle naissance, l'état qui précède l'entrée dans l'économie de la divinisation.

Non seulement sous l'action du saint Esprit, l'âme prend conscience d'elle-même, de ce qu'elle est, de sa vérité, mais, de plus, l'Esprit saint opère en elle ce qu'elle ne saurait dire. Il opère dans le secret, il lui communique des richesses dans le fond de son être, bien en dessous du niveau de la conscience réfléchie :

« Or pour peu que Dieu opère en l'âme pendant cette sainte oisiveté et en cette solitude, cela est un bien inestimable et parfois beaucoup plus que ni l'âme même, ni celui qui la conduit, ne le peuvent penser. Et encore qu'alors on n'en découvre peut-être rien, cela se manifestera en son temps...

« Les biens que cette communication et contemplation silencieuses laissent imprimés en l'âme, sans qu'elle les sente alors, sont inestimables, parce que ce sont des onctions très secrètes, et partant très délicates, du saint Esprit, qui comble secrètement l'âme de richesses, de grâces et de dons spirituels, parce que celui qui les fait étant Dieu, il ne les fait pas moins qu'en qualité de Dieu.

« Donc, ces onctions et nuances du saint Esprit sont si délicates et si élevées que, pour leur délicatesse et subtile pureté, ni l'âme ni son directeur ne les aperçoivent, si ce n'est Celui-là seul qui les met en l'âme pour prendre mieux en elle son bon plaisir...

« Combien de fois arrive-t-il que Dieu viendra à oindre une âme contemplative avec quelque subtile onction de connaissance amoureuse, sereine, pacifique, solitaire, fort éloignée des sens et de tout ce qui se peut penser — à l'occasion de laquelle elle ne peut méditer, ni penser à chose quelconque, et ne prend plaisir à rien qui soit d'en-haut ni d'en-bas, pour autant que Dieu la tient occupée en cette onction solitaire, encline à l'oisiveté et à la solitude...

« Dieu seul est Celui qui agit et qui parle alors secrètement à l'âme solitaire — elle se tenant en silence[1]... »

Comme l'enseignait déjà Paul, nous sommes le temple du saint Esprit. Dieu peut venir habiter en nous, mais cette inhabitation est très secrète, elle a lieu dans une demeure intérieure, comme dit Thérèse. Il peut y être accueilli par la liberté de l'homme. Il existe donc un dialogue secret entre la liberté humaine et le Visiteur, au fond de l'âme. C'est ce qu'expose Jean de la Croix :

« Elle (= l'âme) dit qu'Il (= Dieu) demeure secrètement en son sein, parce que... ce doux embrassement se fait au fond de la substance de l'âme. Il faut savoir que Dieu demeure dans toutes les âmes *en secret* et en cachette, étant caché dans leur substance, parce que si cela n'était, elles ne pourraient pas subsister. Mais il y a beaucoup de différence en ce séjour. Car en certaines, Il (= Dieu) y est seul; en d'autres, Il n'est pas seul; en quelques-unes, Il demeure de bon gré et en d'autres Il demeure de mauvais gré; en quelques-unes Il fait sa demeure comme en sa maison, gouvernant et commandant tout, et en d'autres, Il est comme un étranger en la maison d'autrui, où Il n'a nulle autorité pour rien commander, ni rien faire. L'âme où il y a moins d'appétits et de goûts propres qui y font leur demeure, est celle où Dieu demeure plus seul et de meilleur gré où Il demeure mieux comme en sa propre maison, la gouvernant et régissant, et Il y fait son séjour d'autant plus secret que plus Il est seul. Et ainsi cette âme en laquelle désormais il n'y a nul appétit, ni d'autres images, ni formes, ni affections d'aucune chose créée, qui y fassent leur demeure, c'est en celle-là que le Bien-Aimé demeure secrètement, avec un embrassement d'autant plus intime, intérieur et étroit que plus elle est pure et seule de toute autre chose que de Dieu[2]... »

Selon l'anthropologie des mystiques chrétiens, il y a donc beaucoup plus de choses, il se passe beaucoup plus de choses dans les secrets de l'âme humaine que n'en connaît l'école freudienne...

---

1. *La Vive Flamme d'amour,* strophe III, vers 3, p. 1046 et s.
2. *Ibid.,* strophe IV, vers 3, p. 1091.

Comment cela s'explique-t-il ?

Mais nous allons le voir : la guérison de l'âme n'est pas comprise non plus, de part et d'autre, de la même manière. Cela s'explique : on n'a pas, de part et d'autre, la même idée de l'homme.

Selon les mystiques chrétiens, et cela depuis les origines chrétiennes, l'opération du Verbe incarné, et de l'Esprit saint en l'homme, consiste bien, entre autres, à guérir l'âme humaine. C'est donc une psychothérapie. Mais cette psychothérapie, selon les mystiques chrétiens, c'est en même temps, nous l'avons vu, la création d'un homme nouveau.

Autrement dit, il n'y a pas, selon les mystiques chrétiens, de saint Paul à saint Jean de la Croix, d'homme *normal* qui ne soit un homme né à la vie nouvelle qui est la vie de Dieu, dans et par le *logos* incarné. C'est cela, cette nouvelle naissance, l'unique destinée de l'homme. Il n'y a pas pour l'homme de destinée de rechange, à moindres frais. En sorte que l'homme normal est celui qui a accompli cette métamorphose, cette transformation dont nous avons parlé tout au long du présent travail, qui a consenti à cette nouvelle naissance dont parlent les mystiques chrétiens depuis l'auteur du quatrième évangile. Il n'y a pas de normalité à moindre frais. Il n'est pas possible, pour continuer à utiliser l'analogie des métamorphoses, il n'est pas possible de rester chenille, de vouloir rester chenille et d'être normal, s'il est vrai que la chenille est programmée pour une métamorphose qui va faire d'elle un papillon.

L'homme est programmé pour cette nouvelle naissance qui va faire de lui un être capable de prendre part à la vie éternelle de Dieu. Il ne saurait être un homme normal en restant, en voulant rester, en deçà de cette transformation. C'est dire, en d'autres termes, que selon la tradition mystique chrétienne, il n'existe pas d'homme normal qui ne soit un saint, puisque la sainteté est précisément la transformation radicale de l'homme qui fait de lui un homme nouveau créé selon le dessein de Dieu, conformément au *logos* incarné. Il n'y a pas pour l'homme de normalité en deçà de la sainteté. Il n'y a pas d'équilibre psychologique en deçà de la sainteté.

En deçà de la sainteté, ou naissance de l'homme nouveau, il y a l'état larvaire, qui est normal dans la petite enfance, mais qui n'est plus normal à quarante ou cinquante ans. L'ascèse, selon les mystiques chrétiens, nous l'avons vu, n'est pas un exercice facultatif pour spécialistes de la vie monastique. L'ascèse est une condition universelle de la naissance de l'homme nouveau, de la transformation requise pour que l'homme accède à la plénitude de la taille qui est envisagée pour lui par le Créateur. Autrement dit, seul l'homme capable d'ascèse est normal. En deçà de l'ascèse, en deçà de la transformation ou métamorphose qui exige une ascèse, il y a l'état larvaire et puéril. L'expérience le confirme tous les jours.

Le pire des maux, bien entendu, dans cette perspective ascétique et mystique, c'est de procurer à ces êtres qui sont dans un état larvaire d'inachèvement, le contentement de leur état. Le pire des maux c'est de leur enlever la souffrance de leur état d'inachèvement. La pire des catastrophes, c'est de leur apprendre à être contents et satisfaits de leur sort de larves, car cela leur interdit tout développement ultérieur. Le pire des maux c'est de leur enlever le sens de l'ascèse, ou de leur rendre inintelligible la signification et la nécessité de l'ascèse. La pire des choses est en somme de les maintenir dans leur état larvaire, en leur laissant ignorer qu'ils sont appelés à une transformation radicale et que l'ascèse est une condition de cette transformation.

Prenons quelques exemples simples. Un homme est avare. La méthode de Thérèse d'Avila et de Jean de la Croix ne consiste pas à fouiller dans sa petite enfance et à lui faire raconter ses rêves pour savoir comment il est devenu avare. La méthode des maîtres de la mystique chrétienne consiste à soumettre le candidat à la sainteté à des exercices ascétiques, et en tout premier lieu, pour ce qui concerne l'avarice, au dépouillement total et volontaire de toute propriété, quelle qu'elle soit, fût-ce le moindre chiffon ou le moindre objet usuel. La méthode thérapeutique des mystiques chrétiens demande un effort moral, une lutte contre des tendances qui sont, nous dit Jean de la Croix, comme des « racines » dans le psychisme. Toute la personne va se modifier, se remodeler, se restructurer dans cette lutte ascétique contre des tendances reconnues déplorables. Il en résultera une refonte de toute la personne.

Cela implique, cela présuppose, de la part de celui qui consent à s'engager dans cette entreprise d'une réformation de la personne, et de la part de celui ou de celle qui le dirige, un jugement de valeur, une certaine normative, une certaine idée de l'homme, une idée directrice de l'homme qu'il s'agit de former à partir de l'homme tel qu'il est avant cette réformation. Il n'y a pas, selon les mystiques chrétiens, de cure, de psychothérapie, sans cette connaissance d'une norme génétique, sans cette idée directrice de l'homme nouveau à former. Cette idée directrice, c'est le christ lui-même.

Comme on le sait, un psychanalyste appartenant à l'école freudienne orthodoxe se garde bien de tout jugement de valeur. Il ne propose aucune normative. Il n'a pas une idée directrice de l'homme nouveau à former. S'il a une idée de l'homme, c'est celle de l'homme ancien, et non de l'homme nouveau. La psychothérapie se passe tout entière sur un registre psychologique, mais non moral, et encore moins ontogénétique, car il manque la norme nécessaire pour toute ontogenèse.

Voilà une différence.

Autre exemple. Un homme, ou une femme, a en lui ou en elle des tendances agressives, ou même sadiques. Là encore, la méthode de la tradition ascétique et mystique chrétienne ne va pas consister à rechercher dans le passé la genèse de ces tendances. L'homme ou la femme vont être soumis, dans la communauté monastique, à une vie dans laquelle on leur demandera de bien vouloir maîtriser leurs tendances ou pulsions agressives. S'ils s'y laissent aller, on ne leur demandera pas de venir raconter leurs rêves de la nuit, ni leur souvenirs d'enfance, couchés sur un divan. Ils viendront, à genoux, devant toute la communauté réunie, reconnaître objectivement le mal qu'ils ont fait à un frère ou à une sœur, et le regretter publiquement. Autrement dit, on va leur demander, on va exiger d'eux, une réformation morale, un effort sur eux-mêmes, un apprentissage de la maîtrise, et finalement une transformation de fond en comble de toute leur personne, consciente et inconsciente. Il faudra en venir à extirper ces « habitudes » profondes ou « racines » dont parle Jean de la Croix. Cela se fera par un travail ascétique, et aussi par la prière.

Non seulement on demandera aux candidats à la sainteté d'apprendre à maîtriser leurs pulsions agressives, mais, bien plus, lorsqu'ils subiront une agression, une injustice, une diffamation, un tort quelconque, de la part d'un de leurs frères ou de l'une de leurs sœurs, on leur apprendra à ne pas répondre à l'agression par l'agression, conformément à la doctrine du fondateur du christianisme. Ainsi ils deviendront psychothérapeutes à leur tour, car on ne guérit pas un être en répondant à l'agression par l'agression.

Troisième exemple. Un homme ou une femme sont atteints de cette maladie qui est très commune chez les gens de lettres : la vanité, l'amour infantile de soi-même, l'hypertrophie du moi, l'inépuisable passion de se raconter, de publier son journal intime au jour le jour, l'illusion d'être le centre et d'être important. La vie ascétique et mystique dans la perspective chrétienne vont décentrer cet être retourné sur lui-même, vont le faire sortir de lui-même. Il va petit à petit s'oublier lui-même, se déprendre de soi-même, réaliser une désappropriation, ce que Paul, citant un hymne, appelle la *kénôse*. Finalement, l'homme ou la femme qui seront entrés dans l'itinéraire, dans la transformation qu'implique la mystique chrétienne, reconnaîtront que par eux-mêmes ils ne sont rien, qu'en eux-mêmes il n'y a rien d'intéressant, que tout ce qui est riche et intéressant se trouve dehors, en un Autre, qu'un Autre est la source de toute richesse. Finalement ils diront, comme un très grand mystique du xxe siècle, Pierre Teilhard de Chardin, à la fin de sa vie : « Je ne peux plus me regarder. »

Voilà comment on dépasse et comment on soigne le narcissisme selon la méthode des mystiques chrétiens, par une transformation ascétique de toute la personne qui est une véritable renaissance. Il faut commencer, nous l'avons vu, par mourir à soi-même. Il n'y a pas d'homme adulte qui ne soit mort à soi-même.

Quatrième exemple : l'angoisse. Bien évidemment, il existe des causalités physiques, empiriques, à l'angoisse, relevant de la médecine générale. Un organisme surchargé de toxines ne peut pas être un organisme équilibré du point de vue psychologique, car l'organisme et le psychisme sont un seul et même être. Une molécule qui est toxique pour l'organisme est toxique pour le psychisme. Nous n'avons pas à nous étendre ici sur ces causes physiques de l'angoisse qui relèvent de la biochimie et de la physiologie. Mais il existe aussi des causalités spirituelles à l'angoisse. Les diverses causalités ne s'excluent pas entre elles, mais peuvent se composer et converger pour produire tel effet. L'athéisme est une philosophie selon laquelle l'homme, tout comme le monde, n'a pas de fondement, pas de causalité, pas de raison d'être, ni de finalité. L'existence de l'homme, comme l'existence du monde, est un surgissement inexplicable de l'être à partir du néant. Cette existence est éphémère : un instant entre deux éternités de néant. L'homme ne peut s'appuyer sur personne, puisqu'il n'y a personne. On comprend qu'une telle philosophie, si elle est vraiment vécue et « réalisée » comme disait Newman, puisse causer quelque angoisse... C'est l'angoisse de « *l'être-pour-la-mort* », comprenons : pour le néant, — dont parle si volontiers la philosophie contemporaine. L'homme est un être qui vient du néant et qui va au néant. Dire que le monde et l'homme procèdent, seuls, du néant, c'est une proposition absurde, mais justement, nos philosophes nous le répètent : l'être est absurde.

Le monothéisme, hébreu, juif, chrétien et musulman, fournit à l'homme une théorie de l'existence, de la causalité première, de la raison d'être du monde, et de sa finalité. Il lève donc cette angoisse fondamentale, et c'est d'ailleurs ce qu'on lui reproche.

Mais il y a plus et autre chose. Le christianisme enseigne à se libérer du souci, de la préoccupation. Le détachement ascétique est une libération. Un chrétien cohérent ne se soucie pas de la chute du dollar. Il est libre par rapport au souci. Il sait que peu de choses sont nécessaires et il se contente de ce peu. La pauvreté consentie est libératrice à cet égard encore.

La conception chrétienne de la mort est libératrice elle aussi. La conception chrétienne de la finalité de la création est libératrice par rapport aux préoccupations du monde présent. Le christianisme tout entier, s'il est vécu et compris, est thérapeutique par rapport à ces états d'angoisse qui sont aujourd'hui l'une des maladies les plus répandues sur la planète. Là encore, comme dans les exemples précédents, il s'agit bien d'une thérapeutique par en haut, par une modification spirituelle de la vision du monde, par une réformation de la personne. Le psychisme peut être guéri par l'esprit.

Dernier exemple : la tristesse. Il existe plusieurs sortes de tristesses. Paul, dans l'une de ses lettres aux chrétiens de Corinthe, distingue la tristesse « selon Dieu », celle qui est repentir, et qui conduit à la conversion, et une autre tristesse, celle « du monde » qui conduit à la mort et qui engendre la mort (2 Co 7, 10). C'est le désespoir. Il existe, comme chacun le sait, une pathologie de la tristesse. Au temps de saint Jean de la Croix et de sainte Thérèse d'Avila, on l'appelait « mélancolie ». Plus tard, on l'a appelée « neurasthénie ». Aujourd'hui on utilise d'autres termes, mais peu importe. Il existe des êtres accablés d'une tristesse constante, incurable, d'un chagrin mortel. La mort en est la cause et l'effet. Ces êtres-là sont hantés par la mort. Aucun doute, là encore, le christianisme est thérapeutique, car il apporte, il est, une espérance. Cette espérance n'est pas naturelle, nous l'avons vu dès les premières pages du présent travail. Il ne s'agit pas d'optimisme naturel, car ces êtres-là justement sont incapables d'optimiste naturel. L'espérance que le christianisme leur apporte vient, tout comme la foi et l'agapê, de l'Esprit saint. Elle est essentiellement surnaturelle. L'espérance surnaturelle peut en une certaine mesure, dans l'existence présente, guérir le désespoir naturel qui est l'atmosphère dans laquelle vivent ceux qui sont atteints de cette maladie mortelle qui est la tristesse. L'espérance surnaturelle peut, dans une certaine mesure, réformer leur personne, en informant leur psychologie. Les êtres atteints de cette maladie sont en général plus lucides que les autres. Cette lucidité est leur salaire et la tristesse est le prix qu'ils paient pour elle. Ils ne se laissent pas duper par de fausses raisons et rien ne peut les consoler de l'être-pour-la mort dont parlent les philosophes régnants. Seule l'espérance surnaturelle qui est le christianisme peut leur faire lever les yeux et les sauver du désespoir.

Il existe, on le voit, une *correspondance* entre ce que les théologiens des siècles passés ont appelé les « péchés » capitaux : par exemple l'avarice, l'orgueil, le désespoir, la tristesse, la haine, — et ce que la psychologie et la psycho-pathologie désignent aujourd'hui par d'autres termes, et qu'elles considèrent comme des maladies du psychisme.

Les deux points de vue ne s'excluent pas. Les anciens savaient bien qu'il s'agit de maladies de l'âme, mais ils pensaient que de ces maladies, pour une part au moins, l'homme est responsable et qu'en conséquence l'homme peut agir sur ces maladies par une conversion morale et spirituelle, avec l'aide de la grâce.

Les psychiatres et psychothérapeutes d'aujourd'hui sont en général moins sensibles ou moins attentifs à cette part de responsabilité de l'homme dans la genèse des maladies du psychisme. N'étant pas, en général, métaphysiciens, ni théologiens, ni moralistes, ils s'attachent moins que les anciens à réfléchir à l'œuvre de la liberté humaine dans la genèse des diverses pathologies du psychisme. Étant les héritiers du bon vieux matérialisme déterministe du siècle dernier, beaucoup d'entre eux nient, *a priori,* l'existence même de la liberté humaine. Ils ne peuvent donc concevoir que la liberté humaine puisse exercer une action causale dans la genèse des maladies de l'âme ni qu'elle puisse aussi exercer une action causale dans le processus de la guérison.

Il existe des relations entre l'ordre psychologique, l'ordre moral et l'ordre spirituel. Selon toute la tradition mystique chrétienne, l'ordre spirituel, au sens où nous l'avons défini, exerce une causalité. C'est en somme le lieu de la liberté. Ce qui, — à tort ou à raison, — nous apparaît grave dans la méthode psychanalytique telle qu'elle est pratiquée de fait dans l'école freudienne orthodoxe, c'est la dissociation entre l'ordre psychologique et l'ordre moral, pour ne pas parler de l'ordre spirituel qui semble totalement ignoré. C'est d'avoir disjoint le psychologique du moral, de se refuser à reconnaître aucune normative, de rechercher des causalités seulement en arrière, dans le passé, et par en bas, et non en avant, par en haut et dans l'avenir. Ne pas reconnaître de normative et ne pas reconnaître de finalité, c'est en somme lié. L'absence de la sainteté, au sens que nous avons tâché d'expliciter tout au long de ces pages, c'est-à-dire l'absence des vertus surnaturelles de foi, d'espérance et d'*agapê,* le manque de la vie surnaturelle dans l'esprit, c'est cela que, dans leur langage technique, les théologiens appellent « péché originel ». On aperçoit quel rapport existe entre cet état qui précède la nouvelle naissance, et les maladies de l'âme, puisque, par exemple, l'espérance surnaturelle est le contraire du désespoir, le désespoir est l'absence de l'espérance surnaturelle. Lorsque manque l'espérance surnaturelle, qu'en résulte-t-il dans le psychisme ? Le psychisme peut-il être « équilibré » et « normal » sans l'espérance ? Voilà les questions qu'il importe d'analyser de près, entre théologiens, psychologues, psychiatres et anthropologues. Quelles sont les conséquences de l'absence de la sainteté dans l'homme du point de vue psychologique ? Et que résulte-t-il, du point de vue psychologique, de la sanctification, c'est-à-dire de la transformation de tout l'être par l'information qui vient de l'esprit de Dieu ?

De même qu'il existe une correspondance entre ce que les anciens théologiens appelaient les « péchés capitaux », c'est-à-dire les vices fondamentaux de l'âme (la tristesse, le désespoir, l'avarice, l'importance obsessionnelle et envahissante conférée à l'acte de manger, etc.) et ce que les modernes appellent les maladies du psychisme, de même il existe une correspondance entre les hérésies et les névroses. Il est remarquable que les plus anciennes hérésies portent sur l'existence corporelle, considérée comme mauvaise, coupable, impure, infecte : c'est la doctrine des anciens gnostiques, des disciples de Marcion, de Mani, de Priscillien, et plus tard des Cathares. La sexualité, en particulier, est ressentie comme mauvaise, œuvre du Principe mauvais. La matière est jugée mauvaise en elle-même. L'orthodoxie, on peut le dire, a passé son temps à repousser ces doctrines, et cela pendant des siècles. La doctrine de l'orthodoxie est formulée par saint Augustin puis par saint Thomas d'Aquin : tout ce qui existe, en tant que tel, — en tant que cela est, c'est-à-dire en tant que cela est créé, — est bon. Rien n'est mauvais par nature dans la création. Tout ce qui est créé, en tant que tel, est bon. L'ordre biologique, — et entre autres la sexualité, en tant que telle, — est donc excellent, puisqu'il est l'œuvre, l'invention, de l'unique Créateur.

On voit donc que ce sur ce point, de nouveau, l'orthodoxie est thérapeutique. Elle est susceptible de corriger, par en haut, par une réforme de la pensée, ce qui peut être troublé ou dévié, dans l'affectivité. L'intelligence peut corriger ce qui est vécu au départ d'une manière malsaine.

Il est notable que les hérésies sont toujours pessimistes, et l'orthodoxie toujours optimiste. Il existe une conception ou représentation hérétique du péché originel : c'est celle de Martin Luther, qui professe que le péché originel est une corruption radicale de la nature humaine. Il existe une conception et une appréhension hérétiques du désir : c'est celle qui pose que la « concupiscence », en tant que telle, est identique au péché. C'est justement cela que l'orthodoxie a corrigé et rejeté, par exemple au concile de Trente [1].

A ce titre, l'histoire des hérésies, et tout particulièrement des hérésies gnostiques, est importante pour le psychologue et pour le psychiatre. Il manque une analyse psychologique de la Gnose.

On peut se demander quels ont été le résultat, l'efficacité réelle, les fruits, de cette doctrine ascétique qui s'exprime dans toute la mystique chrétienne.

Pour étudier objectivement et scientifiquement l'efficacité causale de cette doctrine qu'est la mystique chrétienne, il suffit d'étudier ces hommes et ces femmes qui, par milliers,

1. Cf. *Introduction à la théologie chrétienne*, p. 626.

ont été effectivement transformés par elle, informés d'abord, puis transformés et renouvelés.

Nous disions au début de ces pages que la vie mystique en tant que telle, parce que spirituelle au sens technique que ce terme revêt dans ce système de référence, échappe à la compétence du psychologue, du psychanalyste, du psychiatre, car l'ordre et la substance même de la vie mystique n'est pas psychologique.

Par contre le psychologue, le psychanalyste et le psychiatre peuvent étudier objectivement, s'ils en ont le goût et la capacité, la *psychologie* des mystiques chrétiens. Ils peuvent même étudier, lorsque nous disposons de documents suffisants, la *transformation de la psychologie* de tel ou tel mystique, au cours de son existence, et sous l'influence de la doctrine qu'il professe, de la vie mystique qu'il expérimente.

Il est parfaitement possible, il est même souhaitable, d'écrire une *caractérologie* des mystiques. Un trait se présente aussitôt, au premier rang, lorsqu'on envisage de rassembler les éléments d'une telle caractérologie des mystiques, un trait saillant : c'est l'indomptable énergie, l'invincible endurance, la puissance. Ces hommes et ces femmes, c'est vraiment de l'acier trempé. Depuis Paul qui parcourt trois fois le bassin de la Méditerranée, au milieu des persécutions, des bastonnades, de la faim, de la soif, des dangers, des naufrages, des arrestations, pour finir dans les jardins de Néron, — jusqu'à Athanase d'Alexandrie, Catherine de Sienne, Thérèse d'Avila la mère fondatrice, Jean de la Croix, — le trait de caractère qui s'impose tout d'abord à l'attention, c'est l'énergie et la puissance, une puissance surhumaine.

6

ONTOLOGIE ET THÉORIE
DE LA CONNAISSANCE

Nous l'avons dit dès le début de cette étude : le terme de mystique n'est pas univoque. Il y a autant de mystiques qu'il y a de visions du monde, de métaphysiques sous-jacentes. Chaque mystique a sa métaphysique. Ainsi la grande tradition métaphysique moniste qui remonte à l'Inde antique professe que l'existence multiple, individuelle, singulière, est illusoire. Seul l'Un existe. Tout le reste est apparence. Il en résulte une certaine mystique, qui a pour but, pour terme, le retour à l'unité originelle des âmes qui se croyaient, à tort, multiples et distinctes, la découverte du caractère illusoire de l'expérience multiple. Les métaphysiques de l'Un ont une mystique qui leur est propre.

La mystique chrétienne, nous l'avons vu par de nombreux textes de Paul, de Thérèse d'Avila, de Jean de la Croix, n'est pas une mystique de l'Un. C'est une mystique de l'*union,* ce qui est tout différent. Pour que les amants puissent s'unir, encore faut-il qu'ils soient deux et distincts. L'amour entre deux êtres n'est possible que s'il y a deux êtres, distincts, originaux, uniques, irremplaçables. Dans une métaphysique de l'Un, il ne saurait y avoir d'amour proprement dit, ni entre les êtres, ni entre l'Absolu et les êtres multiples, puisqu'en réalité il n'y a pas de multiplicité ni de distinction réelle entre les êtres. La Substance est unique. C'est ce qu'écrit expressément Spinoza : « Dieu étant formé de la totalité de ce qui est, il ne peut y avoir d'amour proprement dit de Dieu pour autre chose, puisque tout ce qui est ne forme qu'une seule chose, à savoir Dieu lui-même [1]. »

1. SPINOZA, *Court Traité,* II, 24; trad. Appuhn, p. 182.

La mystique chrétienne n'est possible que sur le soubassement de la métaphysique de la création. Si la doctrine de la création disparaît, la mystique chrétienne disparaît avec elle, et on est en présence d'une autre mystique, la mystique de type plotinien ou spinoziste, ce qui est parfaitement honorable, mais différent.

L'ontologie de la mystique chrétienne orthodoxe professe la distinction radicale entre l'être créé et l'être incréé. C'est cette distinction ontologique radicale que l'on appelle aussi la transcendance de Dieu. La transcendance de Dieu n'est pas une question de lieu ou d'espace. Dieu n'est pas ailleurs, loin de nous, et nous ne sommes pas séparés de lui spatialement. La transcendance de Dieu signifie simplement que Dieu est l'Être incréé, l'acte même d'exister par soi, comme le dit saint Thomas d'Aquin, l'être dont l'essence même ou la nature est d'exister. Nous, nous sommes des êtres créés, notre être, notre essence et notre exister sont reçus.

IMMANENCE

Non seulement la transcendance de Dieu, ainsi comprise, n'est pas exclusive de l'immanence, mais l'immanence l'implique et la présuppose. En effet, et encore une fois, pour que les amants soient l'un en l'autre, encore faut-il qu'ils soient deux. Pour que l'homme soit en Dieu, pour que Dieu soit en l'homme, encore faut-il que Dieu et l'homme soient distincts. Si la multiplicité des êtres n'est qu'une modification de l'unique Substance, il n'y a pas à proprement parler d'immanence de Dieu dans le monde. Il n'y a immanence que s'il y a distinction préalable, et donc création.

Les théologiens et les mystiques chrétiens enseignent depuis le commencement du christianisme l'immanence des êtres en Dieu et l'immanence de Dieu dans les êtres. On trouve une expression de la doctrine de l'immanence dans le célèbre texte du livre des *Actes* où l'on voit Paul discuter avec les philosophes grecs sur l'Aréopage. Paul explique que Dieu a créé l'homme, que l'humanité a recouvert la terre entière, et que l'homme doit chercher Dieu en tâtonnant. Il ajoute : « Et pourtant il n'est pas loin de chacun de nous. *Car en lui nous vivons, nous nous mouvons et nous sommes.* » (Ac 17, 27-28.)

Non seulement Paul enseigne que nous sommes en Dieu, mais il enseigne aussi que Dieu opère en nous. Il est présent à nous-mêmes pour autant qu'il nous communique d'une manière immédiate l'être, le penser, l'agir.

Paul, dans ses lettres, nous a laissé quantité de formules dans lesquelles il met en relief cette inhabitation, cette immanence, cette in-opération de la puissance de Dieu en l'homme : l'immanence de l'action créatrice du Créateur en l'être créé qui coopère à cette création. Ainsi, dans la première lettre aux chrétiens de Corinthe, Paul écrit : « ... le même Dieu, lui qui opère *(ho energôn)* toutes choses en tous » (1 Co 12, 6). Dans la lettre aux Galates : « ... lui qui vous a communiqué l'Esprit et qui opère *(energôn)* des œuvres de puissance *(dunameis)* en vous. » (Ga 3, 5.) Dans la lettre aux Philippiens : «... car c'est Dieu qui opère *(ho energôn)* en vous et le vouloir et l'agir *(to energein)*... » (Phi 2, 13.) Dans la même lettre aux Philippiens, Paul écrit : « Je peux tout *(panta ischuô :* j'ai la puissance, la force, pour tout faire) en Celui qui, du dedans, me communique la puissance *(en tô endunamounti me)* (Phi 4, 13). Dès le début de la lettre aux chrétiens d'Éphèse, Paul accumule les termes qui désignent la force, la puissance : « ... que le Dieu de notre seigneur Jésus le Christ, le père de la gloire, vous donne un esprit de sagesse et de manifestation en la connaissance de Dieu, ayant illuminé les yeux de votre intelligence *(kardia,* le cœur, qui traduit l'hébreu *leb,* qui est l'organe de l'intelligence), afin que vous connaissiez [...] quelle est la grandeur surabondante de sa puissance à notre égard [...], selon l'énergie *(energeia)* de la puissance *(kratos)* de sa force *(ischuos)*... » (Éph 1, 17 s.) Un peu plus loin dans la même lettre, Paul ajoute : « A celui qui est puissant pour réaliser au-delà de tout ce que nous pouvons demander ou penser, d'une manière surabondante, — conformément à la puissance *(dunamis)* qui opère *(energoumenèn)* en nous, — à lui la gloire... » (Éph 3, 20.)

Enfin, dans la lettre aux chrétiens de Colosses, même formule : « ... afin que nous présentions tout homme achevé *(teleion)* dans le Christ. C'est pour cela que je travaille et que je lutte, conformément à l'énergie *(energeia)* de Dieu qui opère en moi avec puissance *(dunamei)*. » (Col 1, 29.)

On voit qu'il s'agit ici d'une véritable métaphysique de l'action, tout à fait originale : la puissance de Dieu opère en nous, avec nous, avec notre consentement et notre coopération, elle se communique à nous afin que nous la communiquions. Elle vient de Dieu mais elle nous est, si l'on ose dire, prêtée. Elle nous est immanente. Nous portons fruit par elle, et ces fruits excèdent de très loin tout ce que nous pouvons espérer produire par nos propres et seules forces naturelles.

C'est donc une métaphysique de l'action très différente de celle de Martin Luther qui nie toute coopération de l'homme à l'œuvre de Dieu en nous, très différente de celle du p. Malebranche de l'Oratoire qui nie toute efficace propre de l'action humaine, — très différente aussi des métaphysiques de l'action, implicites ou explicites, dans les philosophies modernes, par exemple dans la tradition marxiste, laquelle professe la *suffisance* de l'homme, pour l'agir comme pour l'être.

Cette doctrine de l'immanence de l'homme en Dieu, et de l'immanence de l'opération créatrice de Dieu en l'homme, on la retrouve chez tous les grands docteurs chrétiens, chez les pères grecs et chez les pères latins, chez les grands docteurs du Moyen Age, en particulier chez saint Thomas d'Aquin [1]. C'est la doctrine des mystiques chrétiens du XVIᵉ siècle.

Voici par exemple ce qu'écrit à ce propos Thérèse d'Avila dans *le Château intérieur* :

« Quand le Seigneur le veut, il arrive que l'âme, en oraison et en pleine possession de ses sens, soit soudain ravie

---

1. Cf. « L'immanence de l'action créatrice de Dieu », in *La Métaphysique du christianisme et la Crise du XIIIᵉ siècle,* Paris, Éd. du Seuil, 1964.

en une extase où le Seigneur lui fait comprendre de grands secrets qu'elle croit voir en Dieu lui-même... Ce n'est pas une vision imaginaire, mais tout intellectuelle, où elle découvre comment on voit toutes choses en Dieu, qui les contient toutes en lui... On voit clairement qu'il est inique d'offenser Dieu puisque c'est en Dieu même, je dis bien contenus en Lui, que nous commettons nos grandes iniquités. Je vais m'aider d'une comparaison pour vous aider à comprendre, car bien qu'il en soit ainsi, et que nous en entendions souvent parler, nous n'y prenons pas garde, ou nous ne voulons pas comprendre...

« Considérons donc que Dieu est comme une demeure, ou comme un palais, très grand et très beau, et que ce palais, comme je le dis, est Dieu lui-même. Le pécheur peut-il, d'aventure, pour se livrer à ses malignités, s'éloigner de ce palais ? Non, certes ; c'est-à-dire que dans le palais même, en Dieu lui-même, se donnent cours les abominations, les malhonnêtetés et méchancetés que nous commettons, nous, pécheurs [1] ».

Non seulement tout est en Dieu, comme nous venons de le lire sous la plume de Thérèse, mais, réciproquement, Thérèse expose dans son autobiographie que Dieu est en toutes choses, d'une manière réelle, personnellement présent :

« J'ignorais, au début, que Dieu est en toutes choses, et lorsque sa présence me semblait si réelle, je croyais que c'était impossible. Je ne pouvais refuser de croire qu'il fût là, il me semblait même presque clairement avoir compris qu'Il était présent en personne. Les personnes peu instruites me disaient qu'il n'y était que par grâce. Je ne pouvais le croire, car comme je le dis, il était, me semble-t-il, présent ; je vivais donc dans la peine. Un très docte religieux de l'Ordre du glorieux saint Dominique me délivra de ce doute, il me dit qu'il était présent, et comment il communiquait avec nous, ce qui me consola fort [2]. »

---

1. *Le Château intérieur,* 6es demeures, chap. x, 2, p. 1006.
2. *Autobiographie,* chap. xviii, 15, trad. fr., p. 120.

Jean de la Croix, en métaphysicien et en théologien, distingue trois sortes ou mieux, trois degrés de l'immanence de Dieu dans l'être créé capable de le recevoir :
« Il faut savoir qu'il peut y avoir en l'âme trois manières de présence de Dieu.

« La première est essentielle *(la primera es esencial)*; et en cette façon, non seulement il est en les âmes bonnes et saintes, mais encore en les impies et criminelles, et en toutes les autres créatures, vu que par cette présence il leur donne la vie et l'être; si celle-là manquait, elles s'anéantiraient toutes et cesseraient d'être. Et ainsi cette présence essentielle ne manque jamais à l'âme.

« La seconde présence est par grâce, par laquelle Dieu habite en l'âme qui lui est agréable et de laquelle il est satisfait; et cette présence n'est pas commune à toutes les âmes, puisque celles qui tombent en péché mortel en sont privées, et l'âme ne peut point naturellement savoir si elle a ce bonheur.

« La troisième présence est par affection spirituelle *(por affeccion espiritual)*; parce que Dieu, en maintes âmes dévotes, a coutume de faire quelques présences spirituelles de bien des manières, avec lesquelles il les récrée, les délecte et les réjouit.

« Mais tant ces présences spirituelles que les autres sont couvertes, parce que Dieu ne se montre pas en elles comme il est, parce que l'état de cette vie ne le permet pas [1]... »
Une page plus loin Jean de la Croix commente un vers du poème qu'il a composé :

Découvre-moi ta présence...

Il explique :
« Pour autant qu'il est certain que Dieu est toujours présent dans l'âme, au moins selon la première manière, elle (= l'âme) ne dit pas qu'il se fasse présent à elle, mais que cette présence cachée qu'il fait en elle, soit naturelle,

---

1. *Le Cantique spirituel,* strophe (cancion) XI, vers 1, p. 749.

soit spirituelle, soit affective, qu'il la lui montre et la lui découvre, de sorte qu'elle le puisse voir en son divin Être et en sa beauté : afin que comme par sa présence essentielle il donne l'être naturel à l'âme, et que par sa présence de grâce il la perfectionne, qu'il la glorifie aussi par la manifestation de sa gloire[1]. »

Dans un autre ouvrage, *la Vive Flamme d'Amour,* Jean de la Croix explique que parvenu à un certain degré de la vie spirituelle, à un certain degré de l'union, l'intelligence humaine non seulement discerne mieux la beauté essentielle des êtres, mais elle aperçoit de plus leur insertion dans l'Être incréé que l'on appelle Dieu. C'est-à-dire que l'intelligence accède à une connaissance intuitive, à une vue de ce qu'est la création. L'intelligence connaît alors la distinction ontologique des êtres créés et de l'Être incréé, et l'immanence des êtres créés dans l'Être incréé. Elle connaît les êtres créés du point de vue de Dieu créateur, du point de vue du Poète ou du Compositeur. Elle les connaît dans la pensée créatrice elle-même. Dans la démarche tâtonnante qui conduit l'intelligence humaine à connaître l'existence de Dieu et ce qu'il est, le point de départ normal est l'expérience sensible, concrète. L'intelligence humaine remonte par analyse de la réalité physique, cosmique, à la connaissance de celui qui compose le réel que nous atteignons dans notre expérience. Cela, c'est la démarche du philosophe. C'est celle que, depuis Aristote au moins, les philosophes tentent d'améliorer. C'est celle qu'expose saint Thomas d'Aquin au début de la *Somme théologique.* Mais parvenu à l'union à laquelle conduit la vie mystique, l'intelligence peut désormais procéder en sens inverse : de Dieu lui-même, créateur, aux êtres créés :

« Ici [...] il semble que toutes (les choses) découvrent les beautés de leur être, de leur vertu, de leur beauté et de leurs grâces, comme aussi la racine de leur durée et de leur vie. Parce que l'âme voit là comment toutes les créatures, supérieures et inférieures, tiennent de Lui (= Dieu) leur vie, leur force et leur conservation...

---

1. *Le Cantique spirituel,* strophe xi, vers i, p. 750.

« Et bien qu'il soit vrai que l'âme voie en cet état que toutes ces choses sont différentes de Dieu, parce qu'elles ont un être créé, et qu'elle les voie en Lui avec leur force, leur racine et leur vigueur, toutefois elle connaît tellement que Dieu est toutes ces choses en son être, avec une éminence infinie, qu'elle les connaît mieux en l'être de Dieu qu'en elles-mêmes. Et c'est en quoi consiste la grandeur de la délectation que l'âme reçoit en ce réveil, *connaissant les créatures par Dieu et non pas Dieu par les créatures :* car ceci est connaître les effets par leur cause et non pas la cause par les effets — ce qui est une connaissance par forme de vestige, tandis que cette autre manière de connaître est essentielle *(esencial)* [1]. »

Ainsi donc c'est une erreur de croire que « l'immanentisme », pour parler le jargon de la philosophie moderne, soit un caractère distinctif du panthéisme ou du monisme. C'est le contraire qui est vrai. Le monisme n'est pas une doctrine de l'immanence, pour les raisons que nous avons vues, et seule une ontologie de la création peut professer une immanence des êtres en Dieu et de Dieu dans les êtres, précisément parce que d'abord elle les distingue et que la distinction subsiste dans l'immanence, cette distinction que l'on appelle aussi la transcendance de Dieu, qui est son caractère incommunicable, à savoir qu'il est, lui seul, l'Être incréé.

N'oublions pas, enfin et surtout, que la doctrine chrétienne du saint Esprit — qui est la doctrine de l'Esprit que l'on trouve déjà dans les livres hébreux de l'Ancienne Alliance — c'est la doctrine de l'immanence de Dieu en notre esprit. L'Esprit saint, ou Esprit de Dieu, n'est pas un autre dieu que Dieu, car Dieu est unique. L'Esprit saint n'est pas non plus quelque chose de créé. L'Esprit saint, c'est Dieu unique, qui est Esprit, communiqué à l'esprit, à l'intelligence, à la pensée, à la volonté de l'homme.

---

1. *La Vive Flamme d'amour*, strophe IV, vers 2, p. 1084-1085.

Une des conséquences, une des implications de l'ontologie chrétienne de la création, c'est la doctrine de la grâce. Dieu est absolument premier en tant que créateur, il est absolument premier aussi en tant qu'il invite l'être créé à prendre part à la vie divine, il est celui qui fournit la possibilité d'accéder à cette destinée transcendante. Il est toujours premier. C'est ce qu'après saint Paul, le grand Augustin a établi d'une manière magistrale. La doctrine de la grâce est rattachée à la métaphysique de la création. Là où il n'y a pas de création, c'est-à-dire dans le système de référence d'une ontologie moniste, il n'y a pas non plus de grâce, puisque la grâce c'est la priorité et la liberté de Dieu créateur dans le don qu'il fait à l'être créé. S'il n'y a pas de création, il n'y a pas cette relation gracieuse entre l'Être incréé et l'être créé.

Dans le système de référence de l'ontologie, de la théologie et de la mystique chrétiennes, l'homme ne se suffit pas. Il ne se suffit jamais, ni pour être, ni pour vivre, ni pour penser ni pour vouloir, ni pour agir, ni pour espérer, ni pour naître nouveau à la vie divine. Dieu est toujours celui qui, le premier, donne. Les mystiques chrétiens du XVIe siècle, après saint Paul, après saint Augustin, après saint Bernard et saint Thomas d'Aquin, ont insisté sur ce point. Par exemple sainte Thérèse d'Avila :

« Cette oraison d'union...

« L'âme fait plus de progrès et monte plus haut que dans les oraisons précédentes, elle grandit en humilité, car elle voit clairement que cette grâce excessive et grandiose lui fut accordée sans effort, qu'elle n'a rien fait pour l'obtenir ni pour la retenir. Elle se voit clairement au comble de l'indignité, car nulle toile d'araignée ne peut se dissimuler dans une pièce qu'inonde le soleil; elle voit sa misère. Elle est si étrangère à la vaine gloire qu'elle s'en croit incapable, elle voit à l'œil nu la faiblesse de ses moyens, ou leur nullité, car c'est à peine s'il y eut consentement de sa part; il lui semble seulement qu'on a fermé malgré elle la porte à tous les sens pour qu'elle puisse mieux jouir du Seigneur... Elle ne voit, elle n'entend, qu'à la force du poignet; elle n'a donc guère de mérite. Sa vie passée lui apparaît ensuite, ainsi que la miséricorde de Dieu, avec une grande vérité et sans que l'entendement doive partir en chasse; ce qu'elle doit manger et comprendre est là, tout cuit. Elle voit qu'elle mérite l'enfer, et qu'on lui donne, pour châtiment, la béatitude [1]... »

On voit par ce texte comment l'ontologie de la création, laquelle implique une théologie de la grâce, conduit à ce que Thérèse, à la suite de toute la tradition chrétienne, appelle l'humilité, dans un sens qui n'est pas seulement moral, rappelons-le, mais ontologique : la connaissance, la reconnaissance de ce que nous sommes, de notre vérité, de notre véritable situation dans l'être, notre insuffisance radicale.

Ce qu'on appelle humilité dans le langage des théologiens et des mystiques chrétiens, c'est cette reconnaissance de la grâce, la grâce créatrice d'abord, la grâce qui divinise ensuite. C'est le fait que nous recevons, que nous sommes dans une métaphysique du don, et qu'il n'y a pas de mérite préalable de notre part.

Le contraire de cette perspective, c'est une métaphysique de la suffisance, selon laquelle le monde se suffit, la nature se suffit, l'homme se suffit à lui-même. C'est l'ontologie de l'athéisme. Dans cette métaphysique-là, bien entendu, il n'y a pas de grâce, puisqu'il n'y a pas de donateur. Il n'y a personne qui donne. Dans la tradition moniste non plus, il n'y a pas de donateur. Chez Plotin comme chez Spinoza, le concept hébreu, juif et chrétien de « grâce » ne peut avoir aucune signification. Cela dépend des ontologies sous-jacentes.

Dans de nombreux textes, Thérèse d'Avila, docteur de l'Église, se présente, s'impose comme docteur de la grâce, à la suite d'Augustin, et, tout comme chez Augustin, sur

---

1. *Autobiographie,* chap. XIX, p. 121.

une base expérimentale personnelle. Ainsi, dans *le Chemin de la perfection,* la mère fondatrice explique à ses sœurs que même nos vertus, les vertus que nous croyons nôtres, sont l'œuvre de Dieu en nous, don de Dieu, et pour nous le prouver, Dieu parfois retire ce don en sorte que nous puissions vérifier que par nous-mêmes, seuls, nous ne pouvons rien :

« Je veux vous donner un autre remède : si nous croyons que le Seigneur nous a déjà douée d'une vertu, considérons-la comme un don qu'il peut nous reprendre, comme à la vérité, cela se produit souvent, toujours par un effet de la providence de Dieu. Ne l'avez-vous jamais remarqué vous-mêmes, mes sœurs ? Quant à moi, oui ; je crois parfois être très détachée, et en fait, je prouve à l'occasion que je le suis ; mais à la première occasion je me découvre si attachée, et à des choses dont je me serais moquée la veille, que je ne me reconnais plus. Je crois parfois avoir beaucoup de courage, être capable de ne reculer devant rien pour servir Dieu ; mise à l'épreuve, en certaines circonstances, je me comporte ainsi, mais le lendemain, je n'ai même plus le courage de tuer une fourmi pour Dieu, si je trouve de l'opposition. Il m'arrive encore parfois de penser que tout ce qu'on peut médire et dire de moi ne me fait rien ; à l'épreuve, il en est parfois ainsi, j'en suis même plutôt contente. Mais arrive le jour où un mot suffit à m'affliger, et je voudrais fuir le monde, car me semble-t-il, tout me lasse. Et je ne suis pas seule dans ce cas, j'ai observé bien des personnes meilleures que moi, je sais que cela leur arrive aussi.

« Puisqu'il en est ainsi, qui d'entre nous pourra dire qu'elle a de la vertu, ou qu'elle est riche, puisque au moment même où elle a besoin de la vertu, elle se trouve pauvre ? Que non, mes sœurs, mais jugeons-nous toujours pauvres, et ne nous endettons point sans avoir de quoi payer ; car le trésor doit venir d'ailleurs, et nous ne savons pas combien de temps le Seigneur veut nous laisser dans notre prison de misère sans rien nous donner... Il est vrai que lorsque nous servons humblement le Seigneur, il vient enfin au secours de notre misère ; mais si cette vertu n'est pas très vraie, à tout bout

de champ comme on dit, le Seigneur vous délaissera. Il vous fait ainsi la très grande grâce de vous inciter à avoir cette vertu et de vous faire comprendre vraiment que nous ne possédons rien que nous n'ayons reçu [1]. »
Jean de la Croix aussi est docteur de la grâce. Nous avons pu le remarquer dans les textes que nous avons lus précédemment. Contentons-nous donc ici d'un seul paragraphe de *la Vive Flamme d'amour,* où Jean de la Croix souligne que dans l'œuvre de la création de l'homme nouveau, c'est Dieu qui opère. Il faut donc surtout ne pas faire obstacle à cette opération :

« Que l'âme soit avertie qu'en cette affaire Dieu est le principal agent et le guide qui la doit conduire, comme un aveugle, par la main, au lieu où elle ne saurait aller — ce qui est aux choses surnaturelles — et, ni son entendement, ni sa mémoire ni sa volonté ne peuvent connaître ce qu'elles sont; partant, tout son principal soin doit être de prendre garde à n'apporter point d'obstacle à Celui qui la guide, selon le chemin que Dieu lui a prescrit pour arriver à la perfection de la loi de Dieu et de la foi [2]... »

Et cependant l'homme créé coopère à cette œuvre de création nouvelle que Dieu opère en lui, par le fait qu'il consent librement à cette nouvelle création et que, comme l'écrit Jean de la Croix, il « donne sa volonté » :

« Ce qu'elle (= l'âme) a désormais à faire, c'est uniquement de recevoir Dieu, lequel peut seul opérer au fond de l'âme sans l'aide des sens et mouvoir l'âme en elle-même. Et ainsi tous les mouvements d'une telle âme sont divins; et encore qu'ils soient de lui, ils sont d'elle aussi parce que Dieu les fait en elle et avec elle, qui donne sa volonté et prête son consentement [3]. »

---

1. *Le Chemin de la perfection,* chap. XXXVIII, 6, p. 500.
2. *La Vive Flamme d'amour,* strophe III, vers 3, p. 1038.
3. *Ibid.,* strophe I, vers 3, p. 964.

Bien entendu, dans le système de référence de la mystique chrétienne orthodoxe, il n'est pas question d'abolir l'existence personnelle, pas plus qu'il n'est question d'abolir la distinction ontologique entre l'Être incréé et l'être créé. Nous avons lu des textes où saint Jean de la Croix insiste sur le fait que la distinction ontologique entre l'Être incréé et l'être créé n'est pas abolie dans l'union transformante la plus intime.

C'est en cela encore que la mystique chrétienne orthodoxe se distingue d'autres traditions mystiques, par exemple celle qui se rattache à la métaphysique moniste de l'Inde ancienne ou celle qui se rattache à la métaphysique de Plotin ou de Spinoza.

Selon la mystique chrétienne, la personne subsiste dans l'union et subsistera éternellement.

Dans la théosophie brahmanique, l'existence individuelle et personnelle résulte de la descente de l'Ame universelle dans des corps singuliers *(ensomatose)*. Même doctrine chez Plotin. C'est donc un processus négatif, la descente, la dispersion dans la matière, qui est responsable de l'existence individuelle et personnelle. En sorte que, lorsque par l'ascèse et la purification, cesse l'attachement de l'âme à son corps particulier, l'âme individuelle, parcelle de l'Ame universelle, retourne à son origine, et elle cesse d'être individuelle. L'individuation est l'œuvre de la matérialité. Elle cesse lorsque l'âme cesse d'être exilée dans la matière, lorsqu'elle se sépare de la matière. L'existence individuelle et personnelle, dans cette perspective, n'est donc pas voulue pour elle-même. Elle est un mal, elle est même le mal premier, originel.

Dans la métaphysique qui sous-tend la théologie et la mystique chrétienne, l'existence individuelle et personnelle a été voulue, pour elle-même, par Dieu le Créateur, qui a béni cette existence singulière et corporelle. L'existence individuelle et singulière ne résulte pas d'un processus négatif, mais d'un don positif, non d'une chute mais d'une création. En sorte qu'au terme de l'œuvre créatrice, il n'y a aucune raison d'abolir ce qui a été voulu dès le principe pour lui-même. On saisit ici sur le vif comment telle métaphysique est appariée à telle mystique, et comment il n'est pas possible pour une mystique de changer de métaphysique. C'est une question de cohérence organique et logique. La mystique chrétienne est personnaliste parce que la métaphysique du christianisme l'est dans ses fondements.

Et cependant, la *constitution* de la personne n'est pas le terme ultime du dessein créateur, puisque, nous l'avons vu, la finalité ultime de la création c'est l'*union* de la personne humaine créée à Dieu incréé, union qui n'est possible que par une transformation de la personne humaine, laquelle est une authentique divinisation. Le père Teilhard de Chardin, dans la première moitié du xxe siècle, et Maurice Blondel, ont l'un et l'autre critiqué un certain « personnalisme » qui considérait, à tort, la personne comme le terme ultime de la création. L'un et l'autre ont vu que le dessein créateur va bien au-delà.

L'ACTE D'AIMER

Selon l'ontologie fondamentale du christianisme, qui lui est commune avec le judaïsme, il y a donc distinction ontologique radicale, indélébile, éternelle, entre l'Être incréé et les êtres créés. L'Absolu est unique, et ce n'est pas le monde. Cette doctrine de la création est apparue dans le phylum de pensée que constitue le peuple hébreu. Reste à comprendre pour quelle raison l'Être incréé produit les êtres multiples. L'existence du multiple est un fait d'expérience. Les métaphysiques, les philosophies, ont médité sur ce fait à travers les siècles. La grande tradition moniste qui remonte à l'antique théosophie des brahmanes résorbe l'existence multiple, en affirmant qu'au fond seul l'Un existe. La multiplicité n'est donc qu'apparence. C'est aussi la doctrine d'un philosophe grec qui a connu son apogée autour de 500 avant notre ère : Parménide d'Élée. Ce sera la doctrine de Plotin et aussi celle de Spinoza. La Substance est unique.

D'autres doctrines philosophiques sont parties du fait de l'existence multiple, et s'y sont tenues. Elles ont posé en principe que la multiplicité est première, absolument première, et suffisante. Elles ne sont pas remontées de la multiplicité expérimentale à l'Unité originelle. Dans cette tradition philosophique, qui remonte aux anciens atomistes grecs, la difficulté est de comprendre l'organisation ou l'information des atomes multiples. Le principe d'unification manque dans cette cosmologie qui rejette l'idée d'une intelligence organisatrice.

Si l'on reconnaît, comme l'expérience nous y oblige, l'existence de la multiplicité des êtres qui sont dans le monde, et si d'autre part on reconnaît, comme l'intelligence dans son analyse nous conduit à le voir, l'existence de l'Unique qui compose cette multiplicité, si de plus on a discerné l'insuffisance radicale de tous les êtres du monde et du monde dans son ensemble, la question se pose de savoir pourquoi l'Unique incréé compose en ce moment ce monde inachevé dont nous faisons partie.

Pour que la question se pose, il faut que les deux termes soient aperçus : l'existence du multiple et l'existence de Celui que nous avons l'habitude d'appeler Dieu.

Chez les premiers philosophes grecs, on trouve plusieurs fois, par exemple chez Héraclite et chez Empédocle, l'idée, reprise bien plus tard, au xixe siècle, par Hegel, que la cause de la multiplicité des êtres, c'est un principe négatif, la Guerre, la Haine, ou encore l'Intelligence qui sépare et qui divise.

Les philosophies ont répondu de diverses manières à ce problème des rapports entre l'Un et le multiple, lorsqu'elles reconnaissaient l'existence des deux termes de la question. L'une de ces manières a consisté à professer une procession éternelle et nécessaire du multiple à partir de l'Un. C'est une explication qui remonte à Plotin, et trouve des défenseurs dans l'histoire de la philosophie arabe. Dans cette perspective, l'Un ou l'Absolu ne s'intéresse pas aux êtres multiples qui procèdent de lui d'une manière nécessaire. Il ne les aime pas. Il ne s'en soucie pas [1].

La tradition de pensée qui s'est formée dans le peuple hébreu — et qui a formé le peuple hébreu — conçoit différemment les relations entre l'Un et le multiple. Pour la pensée hébraïque, continuée par la pensée juive orthodoxe (nous mettons donc à part la Gnose juive qui est la Kabbale) et par la pensée chrétienne orthodoxe (nous mettons, pour les mêmes raisons, hors de ce courant les interprétations gnostiques du christianisme), — pour cette « métaphysique » hébraïque l'existence multiple n'est pas considérée comme illusoire, à la manière de la théosophie brahmanique. Elle ne résulte pas d'un processus négatif, tel que la Haine ou la Guerre, comme le veulent Empédocle et Héraclite. Elle n'est pas le résultat d'une procession éternelle et nécessaire, finalement plus ou moins illusoire et apparente, comme chez Plotin et chez Spinoza. Mais elle est l'effet d'un don créateur libre et voulu consciemment. La conscience et la volonté créatrices sont au commencement. Le « fond » de l'être (*l'Urgrund* comme diront les théosophes allemands), ce n'est ni le chaos originel, ni la Tragédie, mais un acte de création dans lequel l'être créé est aimé pour lui-même.

On aperçoit, une fois de plus, les différences que peuvent comporter, pour la psychologie des hommes, ces diverses manières de concevoir le monde et son origine...

Nous serons très discret sur la doctrine de l'amour qui est la clef de l'ontologie fondamentale du christianisme comme du judaïsme, parce qu'on en a trop parlé. Nous voulons proposer une seule remarque. La doctrine de l'amour, dans cette ontologie qu'est le christianisme, doit être comprise dans la perspective génétique que nous avons présentée à la suite de saint Paul et des mystiques chrétiens. C'est-à-dire que ce qui est visé par l'amour, c'est l'être en régime de transformation, c'est finalement l'être achevé, renouvelé. C'est une erreur de

---

1. Nous avons exposé comment la pensée chrétienne a réagi à ce thème dans *la Métaphysique du christianisme et la Crise du XIIIe siècle*, Paris, Éd. du Seuil, 1964.

présenter la doctrine chrétienne de l'amour comme s'il s'agissait de, comme s'il fallait, s'aimer tels que nous sommes dans notre état d'inachèvement, dans notre état larvaire, et comme si nous devions y rester et nous en contenter. C'est une erreur fatale, car c'est méconnaître le principal apport du christianisme, qui est une doctrine de la transformation et de la nouvelle création. Si l'on présente la doctrine chrétienne de l'amour sans exposer la doctrine chrétienne de la nouvelle création, on laisse entendre que le christianisme *se contente* des êtres tels qu'ils sont dans leur état larvaire actuel, ce qui est, nous l'avons vu suffisamment, absolument faux. L'amour authentiquement chrétien vise une transformation, autrement dit il est essentiellement créateur. Il est participation à l'amour créateur de Dieu. Il ne peut donc se contenter, se satisfaire des êtres tels qu'ils nous sont donnés dans notre expérience présente. Il ne peut se contenter de ce qu'on voit. Se contenter de ce qu'on voit, dans les êtres, c'est l'inversion de l'amour, c'est renoncer pour eux au développement qui seul peut les conduire à l'unique béatitude. C'est ne pas les aimer. Il ne faut pas présenter la doctrine chrétienne de l'amour en oubliant, en ignorant, la doctrine chrétienne de la transformation et de la nouvelle naissance, car si on le fait, on dénature complètement la signification même de ce que, dans le langage, dans la pensée de la théologie chrétienne, on appelle amour, qui ne consiste pas à aimer les pauvres êtres que nous sommes tels qu'ils sont, mais à vouloir les transformer et les achever, conformément à la volonté créatrice qui opère en nous. L'amour chrétien est inintelligible en dehors de la perspective génétique que nous avons essayé de présenter.

Nous le notions dès le début de ces pages, pour bien marquer d'emblée la distinction capitale que la théologie chrétienne établit entre l'ordre psychologique et l'ordre spirituel : l'acte d'aimer, selon l'anthropologie du christianisme, n'est pas « naturel » en ce sens qu'il ne relève pas de l'ordre psychologique. Il est communiqué à l'être créé par Dieu le créateur. Il est un don de l'Esprit saint, c'est-à-dire de Dieu qui est esprit. Il est proprement surnaturel, tout comme la foi et l'espérance. Dieu qui aime les êtres multiples qu'il crée nous communique cet amour créateur.

Un texte de saint Paul est à cet égard décisif, et a exercé de fait une fonction déterminante dans la théorie de l'amour : « L'amour *(hè agapê)* de Dieu est versé dans nos cœurs par l'Esprit saint qui nous est donné. » (Rm 5, 5.)

Cette communication de l'amour créateur qui vient de Dieu ne laisse pas celui qui le reçoit en l'état où il était. La communication, par l'Esprit saint, de l'amour créateur transforme celui qui le reçoit. C'est la métamorphose que nous avons décrite précédemment, avec saint Jean de la Croix :

« L'amour n'arrive jamais à être parfait, jusqu'à ce que les amants viennent à être tellement appariés en ressemblance qu'ils se transforment l'un en l'autre *(que se transfiguran el uno en el otro)*, et lors l'amour est entièrement sain [1]. »

« ... quand il y a union d'amour, il est vrai de dire que l'ami vit en l'amant *(que el Amado vive en el amante)*, et l'amant en l'Ami *(y el amante en el Amado)*.

« L'amour fait une telle sorte de ressemblance en la transformation des aimés *(la transformacion de los amados)* qu'on peut dire que chacun est l'autre, et que tous deux sont un, parce qu'en l'union et la transformation d'amour, l'un donne possession de soi à l'autre, et chacun se laisse, se donne, et s'échange pour l'autre, et ainsi chacun vit en l'autre, et l'un est l'autre, et les deux sont un par transformation d'amour.

« C'est ce que saint Paul a voulu donner à entendre quand il a dit : " Je vis, non plus moi, mais c'est le Christ qui vit en moi " (Ga 2, 20)... parce qu'en disant " Je vis, non plus moi ", il donna à entendre qu'encore qu'il vécût, ce n'était pas sa vie, parce qu'il était si transformé dans le Christ que sa vie était plus divine qu'humaine... De sorte que selon cette ressemblance de transformation, nous pouvons dire que sa vie et celle du Christ n'était qu'une même vie par union d'amour *(su vida y la vida de Cristo toda era una vida por union de amor)*.

« Ce qui se fera parfaitement au ciel en vie divine, en tous ceux qui mériteront de se voir en Dieu; parce qu'étant trans-

---

1. *Le Cantique spirituel*, strophe XI, vers 5, p. 757.

formés en Dieu *(transformados en Dios)*, ils vivront une vie de Dieu, et non pas leur vie, bien qu'aussi ils vivront leur vie, puisque la vie de Dieu sera leur vie [1]... »

LE TEMPS

Remarquons aussi quelle doctrine du temps implique la mystique chrétienne orthodoxe. Nous l'avons déjà signalé au passage : la mystique chrétienne est tout entière orientée vers l'avenir, vers la création de l'homme nouveau ou de l'humanité nouvelle. Elle n'est pas orientée vers le passé. En cela encore elle se distingue de plusieurs autres mystiques pour lesquelles le salut c'est le retour à une condition initiale ou originelle. Les maîtres de la mystique chrétienne, saint Paul, saint Jean de la Croix, ne disent jamais que le premier homme, — ou la première humanité, — était dans une condition parfaite d'où nous serions « tombés » et à laquelle il faudrait retourner. Ils disent au contraire, nous l'avons vu, que le premier homme ou la première humanité étaient incomplets, inachevés, qu'en toute hypothèse une nouvelle naissance était requise pour faire passer l'homme de son premier état, animal, à l'état final auquel il est destiné, spirituel. C'est donc une perspective essentiellement prospective qui est celle de la mystique chrétienne orthodoxe. Le temps est aimé comme mesurant une création en train de se faire. C'est un temps bergsonien.

La conception chrétienne du temps, la manière dont le temps est vécu dans la perspective chrétienne, est exprimée par saint Paul dans sa lettre aux chrétiens de Philippes :

« ... oubliant ce qui est derrière moi, je suis tendu vers ce qui est en avant, et je cours droit au but pour remporter le prix auquel Dieu m'a appelé... » (Phi 3, 13.)

Comme on le voit, c'est l'inverse d'un temps proustien. Il

---

1. *Le Cantique spirituel,* strophe XII, vers 5, p. 762-763.

ne s'agit pas d'aller à la recherche du temps perdu. On aperçoit aussi comment cette conception chrétienne du temps est liée intrinsèquement à la conception chrétienne de la finalité de l'Univers, de la création, de l'homme. Le temps chrétien est vectoriel parce qu'il est finalisé. Il est prospectif parce qu'il tend à un but. Il n'est pas nostalgie mais prospection. On vérifie aussi une fois de plus comment la conception chrétienne de l'ascèse est liée à cette finalité. D'ailleurs Paul prend des comparaisons tirées de l'athlétisme. L'athlète court en regardant en avant, tendu tout entier vers le but. L'ascèse chrétienne est une course et les analogies prises à l'athlétisme sont certainement les plus éclairantes parce qu'elles soulignent cette finalité de l'action.

Le psychologue, de nouveau, remarquera l'importance et l'efficacité d'une telle conception du temps pour la transformation de la personne et, éventuellement, sa guérison.

Thérèse d'Avila, dans une page des *Fondations,* souligne le fait qu'aujourd'hui aussi est commencement. Il n'y a pas lieu de valoriser d'une manière mythique les temps passés, comme si dans les temps passés seulement Dieu opérait. Dieu opère aujourd'hui, avec nous, si nous le voulons, en sorte qu'aujourd'hui peut être un point de départ, une origine, un jour de la genèse. Voilà une conception du temps que Bergson aurait aimée :

« Donc ces colombiers de la Vierge Notre-Dame commençaient à se peupler; la Divine Majesté témoigna de ses grandeurs en ces femmelettes faibles, mais fortes du désir de se délier de toutes choses créées... Lorsque tous leurs discours et toutes leurs affaires ne se rapportent qu'à Elle, Sa Majesté ne semble pas vouloir s'éloigner. Je puis le dire en vérité, car c'est actuellement ce que je vois. Que celles qui nous succéderont et qui liront ceci soient sur leurs gardes, qu'elles n'accusent pas les temps si elles ne voient pas tout ce que nous voyons : à Dieu, tous les temps sont bons pour accorder ses grâces à quiconque le sert sincèrement; qu'elles cherchent plutôt à découvrir si elles ont failli en cela, et qu'elles y remédient.

« J'entends parfois dire qu'à l'origine des Ordres religieux,

Dieu accordait de plus grandes grâces à nos saints précurseurs, fondements de l'édifice, qu'il ne nous en accorde aujourd'hui; cela est vrai. Mais nous devrions comprendre que nous sommes nous-mêmes fondements pour tous ceux qui viendront après nous. Si nous, qui vivons aujourd'hui, ne déméritons pas de nos prédécesseurs, si ceux qui nous succéderont font de même, l'édifice restera solide...

« Nulle d'entre nous n'a raison de se plaindre; mais que celle qui verrait déchoir son Ordre s'efforce d'être la pierre angulaire sur laquelle on reconstruira l'édifice, et le Seigneur l'y aidera[1]... »

Pour le paganisme contemporain, qu'il soit d'inspiration marxiste, ou nietzschéenne, ou freudienne, peu nous importe ici, l'homme singulier, individuel, n'a bien entendu pas d'avenir, puisque le paganisme contemporain pose en principe, nous l'avons vu, et sans l'ombre d'une raison valable, que la mort est égale au néant. De ce côté, donc, les choses sont réglées, à brève échéance. Mais pour l'humanité dans son ensemble, cela ne va guère mieux. Car l'on sait, par la physique cosmique, que notre planète Terre ne sera viable que quelques millions d'années encore, tant que le Soleil n'aura pas épuisé une partie trop importante de son stock limité d'hydrogène. Après, ce sera donc terminé pour toute vie sur la planète.

En ce qui concerne l'avenir de l'homme, le paganisme contemporain n'a donc pas de perspectives très étendues, c'est le moins qu'on puisse dire. Le paganisme contemporain pose en principe que l'Univers est éternel, contre tous les enseignements de la cosmologie scientifique, et cela pour sauver l'athéisme. Il pose en principe que l'homme n'a pas d'avenir. Éternité de l'Univers d'une part, finitude temporelle de l'homme d'autre part : telle est la vision du monde que présente l'athéisme moderne. Un Univers éternel qui a mis une éternité pour inventer la vie et l'homme, lesquels ne dureront qu'un instant, insignifiant par rapport à l'éternité de l'Univers et de la matière...

1. *Les Fondations,* chap. IV, 5, p. 628.

Lorsqu'il ne fait pas appel aux vieux mythes de l'éternel retour ou des cycles éternels de la matière, comme le font Nietzsche et Engels, l'athéisme moderne est donc contraint de juxtaposer une théorie de l'éternité de l'Univers à une conception instantanée de l'homme. Ne pouvant pas admettre le commencement de l'Univers, sous peine de se renier, ne pouvant pas admettre comme le monothéisme hébreu un avenir de l'homme, toujours sous peine de se renier, il est obligé de faire tout juste le contraire de ce que propose ce monothéisme hébreu, qui connaît un commencement pour l'Univers, mais ne voit pas de fin pour le royaume à venir.

LA FINALITÉ

Nous avons souligné, tout au long de ces pages, que la vision chrétienne du monde, tout comme la vision juive, est finalisée : la création tend vers une fin, qui n'est pas encore atteinte, c'est-à-dire que la création n'est pas achevée. La création ne peut s'achever qu'avec la coopération de l'homme, d'où une certaine métaphysique de l'action que saint Thomas d'Aquin aussi bien que Maurice Blondel ont analysée.

On sait suffisamment que l'athéisme s'est toujours, et jusqu'aujourd'hui, opposé à cette idée d'une finalité de l'Univers et de la nature. Le monde ne peut pas comporter de finalité puisqu'il est l'œuvre du hasard, et que le hasard, c'est tout simplement la négation d'une intention. Constamment, à travers les siècles, l'athéisme, philosophique ou scientifique, s'applique à nier toute finalité dans la nature, et à plus forte raison toute finalité de la nature.

L'athéisme d'origine matérialiste nie toute finalité parce qu'il nie l'existence de toute intelligence organisatrice, tout dessein créateur.

Mais il existe encore une autre origine philosophique à cette négation.

Dans une métaphysique de la procession — et non de la

création — la perfection doit se trouver au commencement. La procession, éternelle et nécessaire, va toujours du plus parfait au moins parfait. Elle est de nature descendante. Elle est forcément dégradation. C'est ce que Plotin explique dans de nombreux textes. Plus on s'éloigne de la Source, de l'Origine, de l'Un, et plus on va vers la multiplicité, plus on descend vers la matière, plus on s'éloigne de la perfection, qui est à l'origine.

C'est cette métaphysique de la procession que Spinoza a reprise, en s'opposant expressément à la métaphysique hébraïque, juive et chrétienne, de la création.

Dans la métaphysique hébraïque de la création, la perfection, nous l'avons rappelé plusieurs fois, ne se trouve pas au commencement de l'œuvre, mais à son terme, qui n'est pas encore atteint. Ce n'est pas la première production qui est la plus parfaite, mais la dernière. La première production, dans l'histoire hébraïque de la création, c'est le monde physique. Ensuite viennent les inventions du règne végétal et animal. Enfin, l'homme, et, nous l'avons vu, Paul insiste sur le fait que le premier homme créé est « animal », imparfait. La plénitude de l'humanité ne vient pas au commencement, mais à la fin, au terme de la création.

C'est en cela, nous l'avons souligné, que la vision juive et chrétienne de la création est génétique. Et c'est parce qu'elle est génétique qu'elle est finalisée.

Spinoza, dans l'Appendice qui termine la première partie de l'*Éthique,* s'en prend expressément à la doctrine de la finalité, au nom de ses propres principes. Spinoza a posé en principe, dès le début de l'*Éthique,* que Dieu agit par la seule nécessité de sa nature. Autrement dit, la production du monde n'est pas le résultat d'une initiative libre, voulue, mais une procession éternelle et nécessaire qui ne dépend pas de la liberté de Dieu mais de sa nature. Il n'y a pas, dans ce cas non plus, de dessein créateur, d'intention. Ce qui est produit par Dieu immédiatement, la première production, est nécessairement la plus parfaite. Dans la perspective hébraïque, juive et chrétienne, on va du moins parfait au plus parfait. Dans la perspective spinoziste, tout comme dans la perspective plotinienne, on va nécessairement du plus parfait au moins parfait, en sorte que l'idée de finalité est en effet absurde dans ce système.

De plus, Spinoza pose en principe que si Dieu agissait en vue d'une fin, alors il désirerait quelque chose dont il est privé. Ce dont Spinoza semble ignorer l'existence, c'est d'une finalité du *don*. Dieu ne désire pas quelque chose pour lui-même, quelque chose dont il serait privé, mais il désire quelque chose pour nous, *propter nos homines et propter nostram salutem.*

Notons pour finir que la vision du monde qui s'impose aujourd'hui à nous à partir des sciences expérimentales est évolutive, c'est-à-dire que la réalité empirique, constatable et vérifiable, va en effet du moins parfait au plus parfait, ou, en d'autres termes, du simple au complexe, du moins organisé au plus organisé. L'information croît au cours du temps dans l'histoire du monde et de la nature.

Donc, sur ce point, qui est fondamental, il y a accord entre la vision hébraïque, juive et chrétienne du monde, et la connaissance expérimentale que nous prenons du monde et de son histoire.

Il y a désaccord entre cette vision évolutive du monde et la conception plotinienne ou, plus généralement, néoplatonicienne. Une vision néoplatonicienne du monde ne peut pas assimiler ou intégrer la science de l'évolution.

Et sur ce point, Spinoza, qui ne connaissait bien entendu pas cette perspective évolutive, est formel : « La Nature entière, écrit Spinoza, est un seul individu dont les parties, c'est-à-dire tous les corps, varient d'une infinité de manières, *sans aucun changement de l'Individu total, absque ulla totius Individui mutatione* [1]. »

C'est dire que Spinoza, s'il avait vécu au XXe siècle, ou bien aurait repoussé le fait de l'évolution cosmique, physique et biologique; ou bien, comme ses disciples actuels, l'aurait ignoré délibérément; ou bien aurait dû repenser sa philosophie tout entière... Car la conception spinoziste de la nature

---

1. *Éthique II, scolie du lemme VII.*

est incompatible avec le fait de l'évolution. Le fixisme spinoziste est incompatible avec la vision génétique du monde qui
s'impose désormais à nous, si nous voulons bien ouvrir les
yeux et tenir compte des enseignements de l'expérience, ce
qui, à vrai dire, n'est pas le principal souci des philosophes
d'aujourd'hui.

LA THÉORIE DE LA CONNAISSANCE

Selon la théologie chrétienne, nous l'avons vu tout au long
de cette étude, l'homme est un être appelé, invité, à prendre
part à la vie personnelle de Dieu. C'est cela son unique destination ou destinée. Il n'y en a pas d'autre de rechange.

Si cela est vrai, on doit trouver en l'homme, par l'analyse,
une préadaptation à cette fin surnaturelle. L'homme est un
animal qui ne peut pas se contenter d'une finalité naturelle ou
mondaine. Il n'est pas construit pour s'en contenter. Il est
construit pour ne se contenter que de l'Absolu vivant et personnel.

Si l'homme est un être appelé à cette destinée surnaturelle,
il n'a jamais été de fait, nous l'avons noté aussi, un être de
pure nature ou vivant en régime de pure nature. Il a toujours
été travaillé, le sachant explicitement et consciemment ou non,
par cette destinée surnaturelle qui l'appelle, qui l'invite, qui
le rend vagabond et nomade, voyageur et étranger sur cette
terre. Le peuple hébreu, cette portion de l'humanité travaillée
plus distinctement par cette invitation à une destinée surnaturelle, est un peuple vagabond, nomade, un peuple d'émigrants, un peuple en régime de passage. C'est cela sa grandeur
et sa signification prophétique. Comme le disait un prophète
du VIe siècle avant notre ère, un prophète du temps de l'exil
à Babylone, Ézéchiel : « Cette pensée qui monte à vos esprits,
elle ne se réalisera pas, ce que vous dites : nous serons comme
les nations, comme les familles des pays de la terre, servant
du bois et de la pierre. Je suis vivant, oracle du Seigneur

Yhwh : par une main puissante [...] je régnerai sur vous... Je vous conduirai au désert des peuples... » (Ez 20, 32 s.) Un autre oracle, mis dans la bouche d'un prophète païen, Balaam, s'énonce ainsi : « C'est un peuple qui demeure à part et qui n'est pas compté parmi les nations. » (Nom 23, 9.) La destinée de ce peuple, ce n'est pas d'être un peuple parmi les autres et comme les autres, mais d'être le germe, l'embryon de la nouvelle humanité. C'est une destinée transcendante.

Nous l'avons souligné aussi : la mystique chrétienne ne s'adresse pas à l'affectivité, mais à l'esprit et à l'intelligence. Elle est nourriture pour l'intelligence, transformation de l'intelligence, renouvellement de l'intelligence. L'intelligence humaine est faite pour la vie mystique, à savoir pour la contemplation, pour la vue intuitive de l'essence divine. C'est l'enseignement de saint Thomas d'Aquin. On ne comprend pleinement la nature, la richesse, les possibilités et le dynamisme de l'intelligence humaine, que si l'on se reporte à cette fin qui, en dernier ressort, est la sienne.

A la question 12 de la première partie de la *Somme théologique,* saint Thomas d'Aquin pose la question : « Est-ce qu'une intelligence créée peut voir Dieu en son essence même ? » Il répond (article 1) : « Le bonheur ultime de l'homme consiste en son opération la plus haute, qui est l'opération de l'intelligence. Il existe dans l'homme un désir naturel de connaître la cause première, à savoir Dieu. Les bienheureux verront Dieu en son essence même. »

Le désir naturel de l'intelligence humaine, c'est donc cette vue, cette connaissance intuitive de Dieu. C'est cela son terme et son but, sa finalité congénitale.

A l'article 4 de la même question, maître Thomas demande : « Est-ce qu'une intelligence créée peut voir l'essence divine par ses seules forces naturelles ? » Et il répond : « Il est impossible que quelque intelligence créée que ce soit, accède à la vision de l'essence divine par ses seules forces naturelles. Connaître Dieu, qui est l'acte même d'exister subsistant par soi *(ipsum esse subsistens),* cela est connaturel à la seule intelligence divine, et cela est au-delà des capacités ou facultés naturelles de toute intelligence créée, quelle qu'elle soit. Une intelligence créée ne peut donc voir Dieu en son essence même que si Dieu lui-même, par grâce, se joint, s'unit à l'intelligence créée. C'est parce que Dieu, librement, se communique, par grâce, à l'intelligence créée, que celle-ci peut accéder à la vision ou connaissance intuitive de Dieu. »

Il existe donc dans l'homme un désir naturel, congénital, indélébile, conscient ou non, de voir l'essence divine, d'accéder à la connaissance intuitive, face à face, de Dieu, mais ce désir par lui-même est incapable de fournir ce qu'il veut atteindre. L'homme est incapable, par nature, et seul, de se donner ce qu'il désire pourtant naturellement. Seul Dieu, par grâce, peut donner satisfaction à ce désir naturel inscrit dans l'homme par création.

C'est le paradoxe de la théorie de la connaissance qui résulte de ce que nous savons par la théologie mystique : l'esprit créé désire naturellement quelque chose qu'il ne peut pas atteindre seul.

Plus loin, à l'article 5, saint Thomas précise que lors de cette conjonction ou union par laquelle Dieu se donne à connaître d'une manière immédiate et intuitive à l'intelligence créée, l'essence divine elle-même informe l'intelligence *(ipsa essentia Dei fit forma intelligibilis intellectus).*

Nous avons remarqué souvent combien saint Jean de la Croix joue sur le clavier de cette famille de mots : forme, information, transformation, conformation, etc.

C'est à saint Thomas d'Aquin, vraisemblablement, que Jean de la Croix doit cet usage de la famille des mots dérivés de *forma.*

Saint Thomas ajoute, dans le même article : « Il faut donc, pour que l'intelligence créée puisse accéder à cette fin qu'elle désire naturellement, à savoir la vision de l'essence divine — c'est-à-dire la vie mystique —, il faut donc que quelque chose lui soit surajouté, une certaine disposition, qui est surnaturelle *(aliqua dispositio supernaturalis ei superaddatur),* afin que l'intelligence créée soit élevée à une hauteur aussi sublime *(in tantam sublimitatem).* Étant donné que la puissance naturelle de l'intelligence créée ne suffit pas pour voir l'essence de Dieu, il faut que quelque chose lui soit ajouté, de la part de la grâce de Dieu, afin que l'intelligence créée croisse, se développe, afin que la puissance d'intelligence soit augmentée en elle, par une croissance qui lui est conférée par grâce *(ex divina gratia superaccrescat ei virtus intelligendi).* »

Nous disions dès le début de ces pages, pour écarter le premier et sans doute le plus gros des contresens commis généralement à son égard, que la mystique chrétienne n'est pas de l'irrationnel ni de l'infra-rationnel. Il faut ajouter maintenant, et en citant l'un des plus profonds mystiques de l'histoire de la pensée chrétienne, à savoir saint Thomas d'Aquin lui-même : non seulement la mystique chrétienne n'est pas une réduction ni une diminution ni une répression de l'intelligence, mais, bien au contraire, elle est pour l'intelligence créée une croissance, un développement, un dépassement, une augmentation. C'est une nouvelle naissance de l'intelligence. *Superaccrescat ei virtus intelligendi...*

Il ne faut pas confondre, comme on le fait trop souvent dans les milieux qui se disent ou se croient eux-mêmes rationalistes, rationalisme et naturalisme. Le rationalisme serait identique au naturalisme, rationalisme et naturalisme coïncideraient, s'il était vrai qu'il n'existe que le monde ou la nature, c'est-à-dire si l'athéisme était vrai. Mais si l'athéisme n'est pas vrai, alors le rationalisme intégral, la pleine expansion de la raison et de l'intelligence, ne peut s'achever que par et dans un ordre qui est surnaturel. L'intelligence humaine n'est pas enclose sur elle-même, et elle ne peut pas s'achever seule, elle ne peut pas atteindre seule au terme qu'elle désire.

Et maître Thomas ajoute : cette augmentation de la puissance de l'intelligence *(hoc augmentum virtutis intellectivae),* nous l'appelons illumination de l'intelligence.

À l'article suivant, article 6, Thomas se demande si, parmi les bienheureux qui voient ou qui verront l'essence divine, les uns verront plus parfaitement que d'autres. Thomas répond qu'une intelligence peut avoir plus qu'une autre la capacité ou la puissance de voir Dieu. En effet, cette capacité ou puissance n'est pas naturelle, congénitale. Elle est donnée ou conférée par Dieu, par grâce, à qui la désire, à qui la demande. C'est une lumière de gloire *(lumen gloriae)*, qui établit ou constitue l'intelligence créée dans une certaine *déiformité, (quod intellectum in quadam deiformitate constituit)*, c'est-à-dire qui rend l'intelligence déiforme par l'information même qui vient de l'essence divine, — comme nous l'avons vu précédemment dans des textes de saint Jean de la Croix le disciple de saint Thomas.

D'où il résulte, écrit maître Thomas, qu'une intelligence créée qui participera davantage de la lumière de gloire verra Dieu d'une manière plus parfaite.

Or, participera davantage à la lumière de gloire, celui qui aimera davantage, car là où l'amour est plus grand, là le désir est plus grand *(ubi est major caritas, ibi est majus desiderium)*.

Et le désir, d'une certaine manière, fait que celui qui désire, — le désirant, — est apte à et capable de recevoir ce qu'il désire, *desiderium quodammodo facit desiderantem aptum et paratum ad susceptionem desiderati.*

Cela, les amants le savent, et cette loi est valable aussi pour la connaissance mystique.

Maître Thomas conclut : « D'où il résulte que celui qui aimera davantage verra Dieu d'une manière plus parfaite, et il sera heureux davantage. »

Ainsi donc, l'intelligence, dans cette perspective, l'acte même d'intelligence, c'est-à-dire de saisir, de s'approprier ce qui est, l'acte de connaître, ce n'est pas seulement une donnée naturelle. Bien sûr, il existe les aptitudes naturelles. Mais la question est ensuite de savoir ce qu'on en fait. On peut être très doué au départ, et ne pas aller bien loin dans la connaissance de la vérité c'est-à-dire du mystère de l'être. On peut être fort mal doué au départ, et aller fort loin dans la pénétration des secrets des êtres et de l'être, — tout simplement parce que l'acte d'intelligence est finalement conféré par Dieu même. Il est l'un des dons du saint Esprit. La théorie de la connaissance humaine ne peut donc pas se boucler dans l'ordre purement naturel.

Au début de ce siècle l'un des interprètes les plus pénétrants de la pensée de saint Thomas d'Aquin, le père

Pierre Rousselot, mort à l'âge de trente sept ans, en 1915, écrivait :

« L'intelligence, pour saint Thomas, est essentiellement le sens du réel, mais elle n'est le sens du réel que parce qu'elle est le sens du divin[1]. »

C'est parce que l'homme est un être capable, par nature, par construction, par création, de recevoir par grâce le don de la participation à la vie divine, qu'il est un animal métaphysicien, capable de connaître ce qui est et d'aimer la vérité pour elle-même.

Le but de la création, sa raison d'être, sa finalité ultime, c'est la participation consciente, intelligente, aimante de l'être créé à la vie personnelle de Dieu qui est Esprit. Autrement dit, la vie mystique, c'est cela l'avenir de l'homme, son seul avenir. C'est aussi ce qu'écrivait le p. Rousselot : « La fin du monde, c'est l'acte le plus noble de l'esprit, la vision de Dieu[2]. »

L'intelligence humaine est *capax entis,* capable de connaître l'être créé qui est à sa disposition dans l'expérience, parce qu'elle est *capax Dei,* capable par nature de recevoir par grâce le don de la vue intuitive de Dieu :

« Si c'est l'intelligence qui saisit Dieu tel qu'Il est, [...] c'est aussi l'intelligence, par une conséquence nécessaire, qui saisira l'être créé tel qu'il est en soi. L'intelligence [...] est le sens du réel parce qu'elle est le sens du divin. Cette conception explique et justifie l'attitude de saint Thomas vis-à-vis de l'intelligence, telle qu'il la considère dans son exercice terrestre et dans son mode humain[3]. »

Une anthropologie génétique, un animal appelé à une transformation radicale : telles étaient les formules que nous proposions pour caractériser la conception chrétienne de l'homme. Elles se vérifient de nouveau lorsqu'on aborde le problème de la connaissance. *« Nous ne sommes pas des esprits*

---

1. P. ROUSSELOT, *L'Intellectualisme de saint Thomas,* 3ᵉ édition, Paris, 1936, p. V.
2. *Ibid.,* p. XI.
3. *Ibid.,* p. XI.

achevés », écrivait le père Rousselot dans une étude intitulée *l'Être et l'Esprit* [1].

Une des convictions les plus constantes de la grande tradition ascétique et mystique chrétienne, c'est que finalement l'acte de l'intelligence, c'est-à-dire la saisie par l'intelligence de la vérité elle-même, n'est pas possible sans un consentement libre de l'intelligence à la vérité, sans une ascèse, sans une conversion morale, sans une authentique sainteté de la pensée.

« Dieu ne donne jamais de sagesse mystique sans amour, puisque c'est l'amour même qui la communique [2]. »

L'orthodoxie a toujours maintenu, et elle maintient aujourd'hui contre les séquelles du kantisme, du positivisme et du néopositivisme, que l'intelligence humaine est capable, par nature, par construction, par création, d'atteindre la vérité métaphysique, ontologique. Elle est faite pour cette vérité qui est subsistante. Elle ne trouvera sa béatitude que dans la connaissance intuitive de cette vérité subsistante.

Mais la grande tradition ascétique et mystique a toujours pensé aussi que l'intelligence humaine n'atteignait cette fin qui est la sienne que par une sanctification de l'intelligence que Paul appelait *anakainôsis tou nous* (Rm 12, 2), « le renouvellement de l'intelligence ».

Autrement dit, en l'homme, l'intelligence et la liberté ne font pas bande à part. Il y a communication réciproque et causalité réciproque de l'intelligence et de la liberté. Dans tout domaine, scientifique, politique ou autre, on ne découvre la vérité que si on la cherche, à l'encontre des intérêts régnants, des idées reçues et enseignées, fût-ce par soi-même, des résistances du dehors et du dedans. La recherche de la vérité, en tous domaines, est éminemment ascétique.

1. P. ROUSSELOT, « *L'Être et l'Esprit* », in *Revue de philosophie,* 1910, p. 570.
2. Jean de la Croix, *La Nuit obscure,* II, XII, 2, p. 580.

7

MYSTIQUE ET PROPHÉTISME

Très remarquable est la haute estime en laquelle Jean de la Croix tient les livres rassemblés dans cette Bibliothèque que les chrétiens appellent *l'Ancien Testament,* c'est-à-dire les livres de l'ancienne alliance, — distingués de ceux de la « nouvelle alliance ».

À juste titre, Jean de la Croix considère les livres hébreux comme des documents mystiques et il les interprète comme un mystique peut lire les ouvrages de mystiques qui l'ont précédé dans le temps. Jean de la Croix considère les patriarches, Abraham, Isaac et Jacob, puis Moïse et bien entendu les prophètes hébreux depuis Élie, et le psalmiste aussi, comme d'authentiques mystiques qui ont *actuellement* quelque chose à nous enseigner. Les grands mystiques chrétiens ne partagent aucunement le mépris de beaucoup de chrétiens d'aujourd'hui pour les livres de la Bibliothèque hébraïque. Bien au contraire, ils considèrent à juste titre les patriarches et les prophètes comme des maîtres dans la science de Dieu.

À cet égard, les mystiques chrétiens, et saint Jean de la Croix en particulier, professent donc tout juste le contraire de ce qu'écrit Spinoza dans son *Tractatus theologico-politicus,* à savoir que « pour prophétiser, point n'est besoin d'une pensée plus parfaite, mais d'une imagination plus vive » (1, 29), que « la prophétie n'a jamais fait que les prophètes eussent plus de science » (2,41), que « la prophétie est inférieure à la connaissance naturelle » (2,42), que « la prophétie n'a jamais accru la science des prophètes » (2,50), qu'« Abraham aussi ignora que Dieu est partout et connaît toutes choses » (2,54), que « Moïse ne perçut pas assez que Dieu est omniscient » (2,55), que « les Israélites n'ont à peu près rien su de Dieu » (2, 58-59), que « les Hébreux n'ont pas excellé sur les autres nations par la science ni par la piété » (3,67), que l'objet de l'Écriture « est seulement d'enseigner l'obéissance » (14,270).

Voici par exemple comment saint Jean de la Croix s'exprime au sujet de Moïse, comme s'il répondait à Spinoza :

« ... En cette communication et en cette montre que Dieu fait de soi à l'âme, qui est à mon avis la plus grande qu'il lui puisse faire en cette vie, il lui sert d'un nombre infini de *flambeaux* qui lui donnent connaissance et amour de Dieu.

« Moïse vit ces flambeaux en la montagne du Sinaï, où, lorsque Dieu passa, il se prosterna en terre et s'écria, nommant quelques-uns, disant :

« *Et Yhwh descendit dans une nuée et il se tint là avec lui et Moïse invoqua le nom de Yhwh. Alors Yhwh passa devant lui et cria : Yhwh, Yhwh est un Dieu clément et miséricordieux, lent à la colère et abondant en véritable bienveillance, gardant bienveillance à la millième génération, supportant faute, transgression et péché, mais sans les innocenter...* »

« Là où se voit que les principaux attributs et les principales vertus que Moïse connut alors en Dieu furent la toute-puissance, la domination, la divinité, la miséricorde, la justice, la vérité et la rectitude de Dieu : ce qui fut une très grande connaissance de Dieu [1]... »

Les mystiques chrétiens orthodoxes se situent exactement aux antipodes du point de vue de Marcion, de Mani, puis, au XIIᵉ siècle, des Cathares, qui enseignaient que le Dieu de l'ancienne alliance n'est pas le Dieu de la nouvelle alliance, et qui opposaient violemment judaïsme et christianisme. Les mystiques chrétiens reconnaissent au contraire la continuité réelle, organique, entre les livres de l'ancienne alliance et ceux de la nouvelle, entre l'enseignement donné aux patriarches, à Moïse et aux anciens prophètes, et l'enseignement communiqué actuellement par l'Esprit-Saint à l'Église.

---

1. *La Vive Flamme d'amour,* strophe III, vers 1, p. 1021.

Saint Jean de la Croix pense que l'histoire tout entière du peuple hébreu est une authentique aventure mystique, l'aventure de l'humanité travaillée, informée, instruite et guidée par Dieu lui-même, une histoire qui est donc enseignement pour nous aujourd'hui, et enseignement proprement mystique. L'aventure ascétique et mystique du peuple hébreu préfigure notre propre aventure, à chacun d'entre nous. L'expérience de l'exode et du désert doit être revécue par chacun d'entre nous, et tout l'itinéraire ascétique et mystique que Jean de la Croix décrit, se réfère, nous l'avons vu plusieurs fois, à l'histoire du peuple hébreu, qui est l'humanité en train d'être ré-informée, réformée, créée nouvelle, par l'unique Créateur.

D'ailleurs les adversaires du christianisme, les adversaires de l'Esprit chrétien, ne s'y sont pas trompés. Que ce soit à l'extrême droite, — côté Nietzsche, côté Maurras, — ou à l'extrême gauche, côté Marx, côté Bakounine, ou Proudhon, — ce qu'ils ont toujours haï dans le christianisme, c'est essentiellement le prophétisme hébreu, c'est l'Esprit du prophétisme hébreu. Et c'est pourquoi l'antijudaïsme et l'antichristianisme, en réalité, ne font qu'un. Ce sont les mêmes, et pour les mêmes raisons, qui haïssent, de la même détestation spirituelle, le judaïsme et le christianisme. La ruse suprême consiste à les opposer l'un à l'autre. Mais on sait qu'un christianisme qui est séparé du tronc hébreu et déraciné ne porte plus en lui l'Esprit du prophétisme hébreu. Il n'est plus le christianisme.

Mais les analogies et les affinités sont encore plus profondes entre les mystiques chrétiens et les anciens prophètes hébreux.

Lorsqu'on lit les anciens prophètes hébreux, on rencontre souvent cette expression : La parole de Dieu fut adressée à tel ou tel prophète, par exemple Amos, ou Osée, ou Isaïe, ou Jérémie, ou Ézéchiel. Et l'on pouvait se demander : en quoi consiste exactement cette parole de Dieu adressée à tel homme ? Est-ce une manière de parler, une expression métaphorique ? A quoi correspond cette expression ? Que signifie-t-elle ?

On trouve chez sainte Thérèse d'Avila, dans son *Autobiographie* d'abord, puis dans d'autres ouvrages, une longue et minutieuse analyse portant justement sur cette question : qu'est-ce que la parole de Dieu adressée à l'homme, et comment distinguer cette parole de Dieu des illusions de la subjectivité ? Quels sont les critères qui permettent de discerner lorsque c'est Dieu qui nous parle et lorsque c'est nous-mêmes qui nous parlons à nous-mêmes ? L'analyse de Thérèse est bien entendu fondée sur son expérience propre.

Le premier critère, c'est *l'objectivité* de cette parole qui nous est adressée, son caractère objectif, par quoi elle s'impose à nous, que nous le voulions ou non :

« Je crois bon d'expliquer ce qu'il en est de ces paroles que Dieu dit à l'âme et ce qu'elle éprouve, afin que Votre Grâce le comprenne; car depuis que le Seigneur m'a fait cette faveur, elle s'est renouvelée régulièrement jusqu'à aujourd'hui, comme on le verra par ce qui me reste à dire. Ce sont des paroles bien formées, on ne les entend pas avec l'ouïe corporelle, mais on les comprend beaucoup plus clairement que si on les entendait, et il est inutile de se refuser à les comprendre. Car lorsque ici-bas on ne veut pas écouter, on peut se boucher les oreilles, ou s'occuper d'autre chose afin de ne pas comprendre, malgré qu'on comprenne. Rien ne prévaut contre ce discours que Dieu tient à l'âme, je suis obligée, même malgré moi, de les écouter avec un entendement si ouvert à ce que Dieu veut faire comprendre qu'il ne me sert à rien de vouloir ou de ne pas vouloir. Celui qui peut tout veut que nous comprenions que nous devons faire ce qu'il veut, il se manifeste notre véritable Seigneur. J'en ai fait très souvent l'expérience puisque j'y ai résisté pendant près de deux ans, tant j'avais peur, et j'essaie encore de temps en temps, mais sans guère de résultat [1]. »

Thérèse distingue très soigneusement les paroles que nous fabriquons nous-mêmes, celles qui sont, pour user du galimatias moderne, des productions de notre « subjectivité »,

---

1. *Autobiographie,* chap. XXV, 1, trad. fr. p. 169.

celles qui sont notre œuvre, — et celles que nous recevons, sans y pouvoir rien :

« Il peut arriver, ce me semble, qu'une personne qui est en train de recommander quelque chose à Dieu avec une grande affection et beaucoup d'appréhension croie entendre qu'elle se réalisera ou ne se réalisera pas ; c'est fort possible ; pourtant, quiconque a entendu les autres paroles verra clairement ce qui en est, car il y a beaucoup de différence. Si c'est une fabrication de l'entendement, si finement que ce soit, on comprend que c'est lui qui ordonne et qui parle ; nous ne faisons alors qu'ordonner le discours, au lieu d'écouter ce que dit quelqu'un d'autre ; et l'entendement verra qu'il n'écoute pas, mais qu'il agit ; les paroles qu'il fabrique sont comme sourdes, fantastiques, elles n'ont pas la clarté des autres. Ici il dépend de nous de nous en distraire comme de nous taire quand nous parlons ; nous ne pouvons mettre terme aux autres. Enfin, il est encore une différence, et c'est la plus importante ; elles ne produisent aucun effet, tandis que les paroles du Seigneur sont paroles et actes ; et même si ses paroles ne sont pas de dévotion, mais de reproche, dès le premier mot elles disposent une âme, elles lui donnent les aptitudes nécessaires, elles l'attendrissent et l'éclairent, elles lui sont régal et paix ; si l'âme est dans la sécheresse, l'agitation ou l'inquiétude, elle se dissipe comme si on l'ôtait avec la main, et mieux encore, car le Seigneur semble vouloir faire comprendre qu'il est puissant et que ses paroles sont des actes [1]. »

La différence qui existe entre composer des paroles que nous nous adressons à nous-mêmes, et entendre la parole de Dieu, c'est la différence entre activité et passivité. Lorsque c'est la parole qui vient de Dieu, et non pas de nous-mêmes, elle s'impose à nous de force :

« Il y a donc, ce me semble, la même différence qu'entre parler et écouter, ni plus ni moins ; car lorsque je parle, comme je l'ai déjà expliqué, je me sers de mon entendement pour composer ce que je dis ; mais si on me parle, je ne fais qu'écou-

---

1. *Aubiographie,* chap. XXV, 3, p. 170.

ter sans aucun effort. Dans le premier cas, nous ne pouvons pas bien déterminer si ce que nous croyons entendre est réel, comme si nous étions à moitié endormis. Dans l'autre, la voix est si claire qu'on ne perd pas une syllabe de ce qu'elle dit. Cela se produit à des moments où l'entendement et l'âme sont si agités et si distraits qu'ils n'arriveraient pas à assembler les éléments d'un bon discours, et pourtant on trouve toutes cuites les grandes phrases qu'on nous dit, telles que l'âme ne saurait les trouver, même dans le plus profond recueillement, et, comme je le dis, dès le premier mot, elles la transforment entièrement [1]...»

Thérèse s'efforce de dégager les critères objectifs qui permettent de discerner si c'est l'Esprit de Dieu qui nous suggère quelque chose, qui nous enseigne, — ou bien si c'est l'esprit mauvais, ou notre propre esprit qui s'adonne à un monologue. Le critère décisif, pour Thérèse, comme pour les anciens prophètes hébreux, la preuve indubitable, c'est que l'événement vérifie ce que l'Esprit avait annoncé. La preuve du prophétisme authentique, c'est l'histoire qui la fournit :

« Je voudrais expliquer les illusions auxquelles on est exposé, en cette occurrence, bien que ce danger soit rare, ou même nul, pour ceux qui ont beaucoup d'expérience; mais cette expérience doit être très grande, et je voudrais montrer la différence entre le bon et le mauvais esprit; comment ce peut être aussi une appréhension de l'entendement lui-même, (cela peut arriver); il peut se faire aussi que l'esprit se parle à lui-même, (je ne sais si c'est possible, mais aujourd'hui même il m'a semblé que oui). Que ce soit l'esprit de Dieu, j'en ai eu amplement la preuve par beaucoup de choses qui m'ont été dites il y a deux ou trois ans et qui se sont toutes accomplies, — jusqu'à aujourd'hui, aucune n'a menti, — et par d'autres choses qui montrent clairement que c'est l'esprit de Dieu, comme je le dirai plus avant [2]. »

---

1. *Autobiographie,* chap. xxv, 4, p. 170. Cf. *Le Château intérieur,* chap. iii, 6es demeures, 14, p. 965 : « La troisième : lorsqu'il s'agit de Dieu, on est comme quelqu'un qui entend, et lorsqu'il s'agit de l'imagination, comme quelqu'un qui compose peu à peu ce qu'il veut lui-même qu'on lui dise. »
2. *Autobiographie,* chap. xxv, 2, p. 169.

Dans un autre ouvrage, *le Château intérieur,* Thérèse reprend l'analyse des critères qui permettent de distinguer la parole que Dieu adresse à l'homme, — ou à la femme, — des paroles que l'homme s'adresse à lui-même. Thérèse sait qu'il existe une pathologie et des illusions à ce sujet. Elle connaît des sœurs qui sont trompées par ces illusions. La mère fondatrice fait remarquer à ses sœurs que celles qui reçoivent la faveur d'un enseignement qui vient de Dieu ne doivent pas s'en glorifier pour autant, ni se croire des saintes par là même. De plus, Thérèse va souligner constamment que les paroles qui viennent de Dieu sont en conformité avec celles qu'il a communiquées autrefois aux prophètes et aux saints, c'est-à-dire celles qui se trouvent notées et conservées dans les livres de l'Ancienne et de la Nouvelle Alliance. C'est un critère : l'homogénéité de la parole de Dieu, de l'enseignement de Dieu à travers les siècles :

« Je vous avertis de ceci : même si elles proviennent de Dieu, ne vous croyez pas meilleurs de ce fait... Ne faites pas plus de cas de celles qui ne seraient pas exactement conformes aux Écritures que si vous les teniez du démon en personne [1]... »

Un des signes auxquels on peut reconnaître les paroles qui viennent vraiment de Dieu, c'est leur efficace. Elles opèrent, elles agissent, en même temps qu'elles se communiquent, là où rien d'autre, ou nul autre que Dieu n'a pouvoir d'opérer :

« Soit que les paroles viennent de l'intérieur ou de la partie supérieure de l'âme, soit qu'elles viennent de l'extérieur, cela ne signifie pas qu'elles ne viennent pas de Dieu. Les marques les plus certaines qu'on puisse en avoir sont les suivantes. La première et la plus sûre, c'est la puissance et l'empire qu'elles exercent : ces paroles sont des actes. Je m'explique : l'âme se trouve au milieu des tribulations et de l'agitation intérieures déjà décrites, dans l'obscurité de l'entendement et la sécheresse : il lui suffit d'entendre un mot, rien que " n'aie pas de peine ", pour s'apaiser, libre de tout cha-

---

1. *Le Château intérieur,* 6es demeures, chap. III, 4, p. 961 suite.

grin, dans une grande lumière; cette peine s'évanouit, alors qu'il lui semblait que si le monde entier et les hommes doctes tous ensemble lui avaient donné des raisons de s'en délivrer, leurs efforts ne seraient pas parvenus à soulager son affliction[1]... »

Lorsque c'est la parole de Dieu qui nous est adressée, elle crée en nous la paix. Elle est si forte qu'on ne l'oublie pas. Elle s'impose à notre assentiment, même lorsqu'elle annonce ce qui humainement paraît impossible. Enfin, critère décisif, comme chez les anciens prophètes hébreux, cette parole qui annonce quelque chose qui paraît tout à fait impossible est vérifiée par les faits, par l'histoire :

« Second signe : l'âme se retrouve dans une grande quiétude, dans un recueillement fervent et apaisé, prête à louer Dieu...

« Troisième signe : ces paroles ne s'effacent pas de la mémoire avant fort longtemps, et certaines ne s'effacent jamais, alors que nous oublions celles que nous entendons ici-bas; je précise : celles que les hommes nous ont dites; pour graves et doctes qu'ils soient, leurs paroles ne se gravent pas aussi profondément dans la mémoire, et s'il s'agit de choses futures, nous n'y ajoutons pas la même foi; mais la parole de Dieu nous insuffle une immense certitude, et même lorsqu'il s'agit de choses qui semblent si impossibles que l'âme ne peut s'empêcher d'en douter, de se demander si elles se réaliseront oui ou non, l'entendement hésite un peu, mais l'âme elle-même est pleine d'une certitude invincible, même si tout semble contredire ce qu'elle a entendu; les années passent, rien ne peut l'empêcher de penser que Dieu usera de moyens incompréhensibles aux hommes, mais que cela s'accomplira enfin; et cela s'accomplit[2]... »

Malgré les avis de l'entourage, qui déclare irréalisable ce que l'esprit a entendu, il reste la conviction que c'est vrai, et l'histoire le confirme :

« Au milieu de tous ces combats, malgré tant de gens qui

---

1. *Le Château intérieur,* 6es demeures, chap. III, 5, p. 961.
2. *Ibid.,* 6es demeures, chap. III, 6, p. 962.

disent à cette personne elle-même que c'est de l'absurdité, (c'est-à-dire les confesseurs avec qui elle traite de ces choses), malgré tous les revers qui devraient lui faire admettre que ces prédictions sont irréalisables, il lui reste je ne sais où une étincelle d'espérance si vive que même si tous les autres espoirs étaient morts, il lui serait impossible, le voudrait-elle, d'admettre que cette certitude n'est pas vivante. Et enfin, comme je l'ai dit, la parole du Seigneur s'accomplit, la satisfaction et l'allégresse de l'âme sont telles qu'elle ne cesse de louer Sa Majesté d'avoir vu s'accomplir ce qu'Elle lui avait promis, plus encore que de l'œuvre elle-même, bien qu'elle soit d'une grande importance pour elle...

« L'allégresse est donc vive quand, après mille traverses, elle voit s'accomplir des choses d'une extrême difficulté [1]... »

Thérèse ordonne à ses sœurs de faire contrôler, vérifier, examiner, les paroles entendues, par un théologien de métier, afin d'éviter toutes les illusions de la subjectivité, surtout si les paroles entendues ordonnent de passer à l'action, ce qui fut fréquent dans la vie de Thérèse. Thérèse s'est toujours soumise elle-même à ce contrôle, à cette vérification, par d'autres qu'elle-même, plus savants, objectifs, et même *a priori* méfiants et peu favorables.

« Si la chose qu'on vous dit est grave et que vous deviez vous-même vous mettre à l'œuvre, ou si les affaires d'une autre personne sont en cause, ne faites rien sans l'avis d'un confesseur avisé, docte, et serviteur de Dieu; cela ne doit pas vous effleurer l'esprit, même si de mieux en mieux informée, il vous paraît clair que cela vient de Dieu; car c'est ce que veut Sa Majesté. Ainsi, vous ne vous refuserez pas à faire ce que Dieu ordonne, puisqu'il nous a dit de considérer le confesseur comme son représentant, et là on ne peut douter que ce soient ses paroles; elles fortifieront notre courage, si l'affaire est difficile, Notre Seigneur en donnera au confesseur, il lui fera admettre quand il le voudra que c'est son Esprit, sinon, nous ne sommes obligés à rien. Agir autrement, suivre moindrement notre propre sentiment, j'estime cela

---

1. *Le Château intérieur,* 6es demeures, chap. III, 8, p. 963.

très dangereux; je vous adjure donc, mes sœurs, au nom du Seigneur : que cela ne vous arrive jamais [1]. »

Il existe encore un critère moral. Celui qui reçoit la parole de Dieu ne s'en glorifie pas. La parole de Dieu ne produit pas en lui une exaltation du moi, mais au contraire dispose celui ou celle qui entend à se connaître avec plus de vérité et de simplicité. L'authentique prophète est toujours, comme les historiens hébreux l'avaient déjà remarqué à propos de Moïse, le plus humble des hommes :

« Si elle reçoit des faveurs et des régals du Seigneur, qu'elle observe attentivement si, de ce fait, elle se sent meilleure; si elle n'est pas d'autant plus confuse que la parole est plus flatteuse, il lui faut croire qu'il ne s'agit pas de l'esprit de Dieu. Lorsque c'est Lui, il est très certain que plus la faveur est grande, plus l'âme se méprise, plus elle se rappelle ses péchés, plus elle oublie ses progrès, plus elle applique sa volonté et sa mémoire à ne vouloir que l'honneur de Dieu, sans songer à son profit personnel, plus elle redoute de se détourner moindrement de Sa volonté, et plus elle est sûre de n'avoir jamais mérité ces faveurs, mais l'enfer. Si toutes les choses et les grâces qu'elle reçoit dans l'oraison produisent ces effets, que l'âme ne s'effraie point, qu'elle ait confiance en la miséricorde du Seigneur, il est fidèle, et il ne permettra pas au démon de la tromper, bien qu'il soit toujours séant de garder des craintes [2]. »

Enfin il existe un critère quasi physique. La parole de Dieu s'impose à celui à qui elle s'adresse, qu'il veuille ou ne veuille pas entendre. Il n'est pas libre de ne pas entendre. Si c'était lui-même qui se parlait à lui-même, il pourrait se distraire, se divertir, s'occuper d'autre chose. Dans le cas de Dieu, aucune résistance n'est possible. Un plus fort que l'homme s'adresse à lui :

« Il est possible que celles que le Seigneur ne conduit pas par cette voie imaginent que ces âmes pourraient ne pas écouter ces paroles qui leur sont dites, et si ces paroles sont

---

1. *Le Château intérieur,* 6es demeures, chap. III, 11, p. 964.
2. *Ibid.,* 6es demeures, chap. III, 17, p. 966.

intérieures, s'en distraire de manière à ne pas les entendre, dans l'espoir d'éviter ces dangers. Je réponds à cela que c'est impossible. Je ne parle pas des paroles que nous imaginons, le remède est alors de moins désirer certaines choses, et de refuser de tenir compte des idées que nous nous faisons. C'est inutile dans ce cas-ci, car l'esprit qui parle immobilise lui-même toutes les autres pensées, il oblige à prêter attention à ce qu'il dit, il serait plus facile à une personne qui entend fort bien de ne pas comprendre ce que dit quelqu'un qui parlerait à grands cris : elle pourrait ne pas y prendre garde, fixer sa pensée et son entendement sur autre chose, mais dans le cas qui nous occupe, ce n'est pas faisable. Elle n'a pas d'oreilles à boucher, ni de forces pour penser, sauf à ce qu'on lui dit, et sous aucun prétexte; car celui qui à la demande de Josué (je crois que c'était lui), immobilisa le soleil, peut immobiliser les puissances et toutes nos facultés intérieures, et l'âme voit bien qu'un Seigneur plus grand qu'elle gouverne son château, et elle lui manifeste sa fort grande dévotion et son humilité. Il n'y a donc aucun moyen de l'éviter [1]. »

Thérèse explique à ses sœurs, à la fin de son traité intitulé le *Chemin de la perfection,* que, bien entendu, elle aurait été bien incapable, toute seule, de rédiger ce traité de théologie mystique, si Dieu ne l'avait pas instruite. Autrement dit, en toute simplicité, Thérèse explique à ses sœurs qu'elle a été *inspirée* dans la composition de ce traité, et l'humilité consiste justement à le reconnaître. C'est Dieu qui a communiqué la science :

« Tirons donc la leçon, mes sœurs, de l'humilité avec laquelle notre bon maître nous instruit, et suppliez-le de me pardonner d'avoir osé parler de choses si élevées. Sa Majesté sait bien que mon intelligence en serait incapable, si Elle ne m'avait enseigné ce que j'ai dit. Remerciez Dieu, mes sœurs, car si Elle l'a fait, c'est sans doute à cause de l'humilité dont vous avez fait preuve en me le demandant, puisque vous vouliez qu'une si misérable chose vous instruise [2]. »

1. *Le Château intérieur,* 6es demeures, chap. III, 18, p. 966.
2. *Le Chemin de la perfection,* chap. XLII, *in fine,* 6, p. 516.

Thérèse écrit la même chose dans un autre ouvrage, *le Château intérieur*. Elle demande à l'Esprit saint de l'enseigner et elle sait que ce qu'elle enseigne vient de l'Esprit saint :

« Celui qui m'a commandé d'écrire m'a dit que les religieuses de ces monastères de Notre-Dame du Carmel ont besoin qu'on leur explique quelques points indécis d'oraison : il lui semble qu'elles comprendront mieux le langage d'une autre femme...

« Il est clair que lorsque je réussirai à dire quelque chose elles (= les religieuses) comprendront que cela ne vient pas de moi, rien ne peut le leur faire croire, sauf si elles manquaient d'intelligence autant que je manque d'aptitudes pour des choses semblables, lorsque la miséricorde du Seigneur ne m'en donne point [1]. »

« Pour commencer à parler des quatrièmes demeures, j'avais grand besoin de me recommander au Saint-Esprit comme je l'ai fait ; je l'ai supplié de dire désormais à ma place quelque chose des demeures suivantes afin que vous compreniez, car nous commençons à entrer dans les choses surnaturelles, et il est extrêmement difficile de les faire entendre si Sa Majesté ne s'en charge point, comme elle fit, d'ailleurs, quand j'écrivis tout ce qui m'avait été donné de comprendre jusqu'alors, il y a plus ou moins quatorze ans [2]. »

« Plaise à Lui que je parvienne à expliquer quelques-unes de ces choses si difficiles ; je sais que cela me sera impossible si Sa Majesté et l'Esprit saint ne dirigent ma plume [3]. »

Voilà donc comment Thérèse analyse le fait du prophétisme. On voit que ces analyses peuvent permettre de mieux comprendre ce qui s'est passé pour les anciens prophètes dont nous parlent les livres hébreux de l'ancienne alliance. On voit aussi que de ce point de vue le prophétisme n'est pas clos. Le prophétisme s'est continué, à travers les siècles, chez Thérèse mais aussi chez beaucoup d'autres, hommes et femmes. Toujours les authentiques prophètes se reconnaissent aux critères qu'a indiqués Thérèse. Si la révélation

1. *Le Château intérieur,* avant-propos, 4, p. 870.
2. *Ibid.,* 4es demeures, chap. I, 1, p. 905.
3. *Ibid.,* 5es demeures, chap. IV, 11, p. 948.

est close avec la manifestation de Dieu lui-même dans l'histoire humaine, le prophétisme, lui, n'est pas clos avec les livres de la nouvelle alliance. Dieu le créateur continue d'instruire son peuple, de l'enseigner, par l'intermédiaire d'hommes et de femmes qui se sont mis à son service. Sur ce point il y a, semble-t-il, une différence de doctrine entre la théologie de l'église qui a son centre d'auto-régulation à Rome, et les théologies issues de la Réforme. Les théologiens réformés seraient-ils disposés à admettre que le prophétisme se continue avec Thérèse d'Avila et d'autres, comme Catherine de Sienne ? C'est à eux de nous le dire.

D'autres caractères permettent encore de comparer les mystiques chrétiens aux anciens prophètes hébreux. C'est par exemple leur existence même. Toujours ou presque, les mystiques chrétiens vont à contre-courant d'une tendance dominante. Toujours ils ont à souffrir de devoir communiquer au peuple de Dieu une information, un message, qui rencontre une résistance, et ils paient très cher cette fonction ou cette charge. C'est une preuve de plus, tout comme pour les authentiques prophètes hébreux, qu'ils ne sont pas des imposteurs ni des simulateurs. Ils n'ont pas intérêt, ils n'ont pas d'avantages personnels, à être prophètes, mais bien au contraire leur salaire est toujours la tribulation. Cela se vérifie depuis Amos et Jérémie jusqu'à Catherine de Sienne, Thérèse d'Avila et Jean de la Croix. L'épreuve qu'ils subissent est un signe d'authenticité, un critère qu'il nous est permis à notre tour d'ajouter à ceux qu'ils ont eux-mêmes dégagés.

Paris, *mai 1975.*

TABLE

Col

IMP. MAME À TOURS
D. L. 2e TR. 1977, N° 4610